ちくま文庫

あなたの話はなぜ「通じない」のか

山田ズーニー

筑摩書房

目次

第5章 信頼の条件 189

挿画・南伸坊

あなたの話はなぜ「通じない」のか

プロローグ　想いが通じる5つの基礎

「何を言うか」よりも、「だれが言うか」が雄弁なときがある。例えば、同じニュースでも、どのメディアが言うかで、ぐっと印象は変わる。

ついに宇宙とコンタクト（日本経済新聞）
ついに宇宙とコンタクト（東京スポーツ）

いかがだろうか？　右の二つは同じことを言っている。でも違う意味に見えてしまう。会議で、部長が話し始めるとみんな「うんうん」と頷《うなず》く、「それ、さっき私が言ったことじゃない。私のときはみんな知らん顔してたくせに」なんてことが起こるのはこのためだ。同じことでも、あなたが言うのと別の人が言うのでは、与える印象がまるで違う。人間もメッセージを伝えるメディア（＝媒介）だとすれば、あなたは相手からどんな風に見られているだろうか？

あなたを「信頼のおける人だ」と思っている相手なら、少々言葉が足りなくても通じる。しかし、あなたのことを「いつも小言ばかり言ってうるさい奴だ」と思っている相手だとしたら、あなたが「ねえ、ねえ」と話し掛けた時点で、相手は「よくないことだ」と警戒し、フィルターをかけて聞くだろう。相手から、もし、疑われているとしたら、何を言ってもダメ、信頼回復が先だ。

話が通じるためには、日ごろから人との関わり合いの中で、自分というメディアの信頼性を高めていく必要がある。

では、初対面の相手だったら？　自分と距離のある相手だったら？　大丈夫。それなりの準備をすればいいのだ。自分の信頼性を端的に示す自己紹介を工夫したり、説得材料をいつもより多く準備したり。相手から見たときの自分の見え方、その信頼性や影響力の程度を知っていれば、対策はできる。

どうしても自分では太刀打ちできないことなら、自分に代わって、「相手が信頼している人間に語らせる」という奥の手だってある。こどものころ、自分が頼んでも買ってもらえなかった自転車を、親から信頼されているお兄さんに頼んでもらって買ってもらったという人は、メディア特性というものをよく理解している。そこで、

1．自分のメディア力を上げる

これが、話が通じる一番の基礎だ。本書では、どうしたら、あなたという人間への信頼、共感を高めながら、相手に言いたいことを伝えるか、その技術をつかんでいく。

この点で、本書が扱うのは、ディベートのように強い自己主張で相手を言い負かす論法とは決定的に違う。人は、好きな人の話はよく聞き、嫌いな人の話は聞くのもいやだ。相手が、「あなたの理屈は正しいとわかった、しかし、あなたという人間は嫌いになった」では、通じたとは言えない。

話が通じるとは、勝ち負けでなく、あなたと相手の間に橋を架けるようなものだ。伝えるほどに、あなたへの信頼が高まり、結果的にあなたのメディア力が上がるから、話はますます通じやすくなる、そういういい循環を起こしていきたい。

本編でその技術をつかむにあたって、このプロローグでは、話が通じるための基礎のキソを確認しておきたい。あまりにあたりまえな基礎は、それだけに見過ごしがちだ。ここで再認識しておくことで、本編の理解は、ずっとスムースになる。

話が通じるために最低限押さえておきたい基礎とは、先ほどの「メディア力」を含め5つある。2つめは、

２．相手にとっての意味を考える

ことだ。「相手」は、どんな人だろう？　今、何に興味があり、どんな問題を抱えているか？　今日は何をしていたか？　話を聞く余裕はあるか？　元気だろうか？　落ち込んでいるか？

あなたの話は、相手側から見たら、どんな意味があるだろうか？

例えば、あなたが「恋人と映画に行った」ことを話すとする。あなたは、「楽しかったことを、ただ聞いてもらいたかった。別に意味はない」かもしれない。しかし、聞く側にとってはいろんな意味が生まれてくる。

もし相手が映画好きで、感性の合う人なら、映画の情報として「役立つ知らせ」という意味が出てくる。また相手の気分が沈んでいて、あなたの話が笑えるものだったら、「気が晴れる楽しい話」という意味が出てくる。こうした相手へのメリットが何もなかったとしたら、あなたの話は「単なる自慢」とうつるかもしれない。いや、それどころか、相手が最近ふられたばかり、人の幸せも喜べない状況だったら、あなたの話は、相手にとって「気分を落ち込ませるいやな話」にさえなってしまうのだ。

人は、自分に関係ない、意味のない話は、なかなか聞こうとしないものだ。まずこの厳しい現実をしっかり押さえよう。でないと「せっかくいいこと言っているのに、なぜ、どうして聞いてくれないの！」と独善的になってしまう。

あなたの話は、相手にとって、役立つ知らせなのか、啓蒙なのか、励ましなのか。

相手にとってうれしい話なのか、あまりありがたくない話なのか。そもそも相手のどんな反応を期待したのだろう？ そこで原点に立ち戻って基礎の3つめ、

3．自分が一番言いたいことをはっきりさせる

「いまさら言われなくても、言いたいことくらい、自分でわかっているよ」と言われそうだが、そうだろうか？ 知識や情報を並べただけで、結局何が言いたいの？ という話、案外多いのだ。だから、話す前に、自分が一番言いたいことを、極力短くはっきりさせておき、それを頭か結論にもってくるだけで、ずいぶん話は通じやすくなる。

「言いたいことはあるんだけど、自分でもはっきりしない」という状態で切り出すと、相手までモヤモヤさせてしまう。自分で考えて、決め、結果を引き受ける覚悟がなければ、通じ合うスタートラインにも立てない（「決め」がないものは、単なる「相談」だ）。

では、自分の中のモヤモヤと言葉にならない想いを、どうやってはっきりさせたらいいのだろう？　実はそれが、「考える」という行為なのだ。私たちの多くは、正解のない問題について、自分自身の考えを洗い出し、自分の意見を打ち出していくための思考法をほとんど習っていない。だから、「考える方法」さえわかれば、自分が何を言いたいのか？　なぜこの人に話すのか？　話してどうしたいのか？　霧が晴れるようにはっきりと見えてくる。

本書は、この「考える方法」にもっとも力点を置いた。基礎からくわしく説明している。お仕着せのコミュニケーション術を覚え込むのでなく、相手に応じて、シーンに応じて、あなた独自のコミュニケーション術を打ち立てていけるようにするためだ。本書の考える方法をものにして、ぜひ、自分の頭でものを考える面白さ、自分で考えながら人と関わっていく自由を味わってほしい。

さて、自分の言いたいことがはっきりしたら、基礎の4つめ、

4．意見の理由を説明する

言いたいことだけぶつけても、相手との間に橋は架からない。自分がそう考える「理由」を説明することだ。

このとき、自分に都合のいい理由ばかりでたたみかけてもだめだ。例えば、あなたの商品企画に反対する上司がいたとして。あなたが、「質のいい商品である」という理由ばかり並べ立てても、上司の意向がそこになければ、効果はない。上司は、「会社が火の車、すぐにでも売れる商品がほしい」と反対しているのなら、経済効果という角度から理由を用意すると、話がはやい。

あなたと、相手の真ん中に「理由」がある。理由を、自分側、相手側、あるいはもっと普遍的な角度からと、多角的に引いてくる方法や、論理的な説得の筋道を組み立てていく技術も、本書でつかんでいこう。

以上、自分のメディア力を知って、相手にとっての意味を考え、意見と理由で説明していく。でも、忘れがちでいて、実はいちばん大切なことがもう1つだけある。

5. 自分の根っこの想いにうそをつかない

これが、ラスト5つめの基礎だ。表現は、「何を言うか」より「どんな気持ちで言うか」が大切だ。例えば、根っこに愛情があれば、「バカ！」と言っても温かい。逆に、根っこに軽蔑をためた人から発せられる言葉は、「おりこうさん」と言ってもバカにしているし、何を言っても、どう言っても冷たい。

その人の根っこにある想い・発言の動機、これを「根本思想」と言う。言葉は、ちょうど氷山の見えるところのようなもので、水面下には、その何倍もの大きな、その人の生き方や価値観が横たわっている。根本思想は、言葉の製造元。だから、短い発言でもごまかしようなく、にじみ出て、相手にわかってしまう。

例えば、ふだん環境に関心のない人が、テクニックを駆使して環境保護を訴えても人の心に響かない。伝えることはこの点で甘くない。もしも、これから話そうとすることに自分の気持ちや生き方がついていかないなら、思い切って内容を変えるか、いっそ、話さないという手もある。あなたが話そうとすることの、根っこにある想いは何か？　エゴなのか、恐れなのか、感謝なのか？

逆に言うと、根本思想はそれだけ強いものだからこそ、根本思想と言葉が一致したとき、非常に強く人の心を打つ。

本書はこの、「自分の想いにうそをつかない」ということを一歩も譲らず考えた。その上でのコミュニケーション技術である。一分一秒たりとも譲らず、あなたがあなたであるための、一助となれば幸いだ。

さて、以上5つを押さえたら基礎は完了！　本編で、人と通じ合うための技法をつかんでいこう。

第1章 コミュニケーションのゴールとは？

「通じ合えない」と、
傷つき、苦しんでいるとき、
あなたの志は高い。

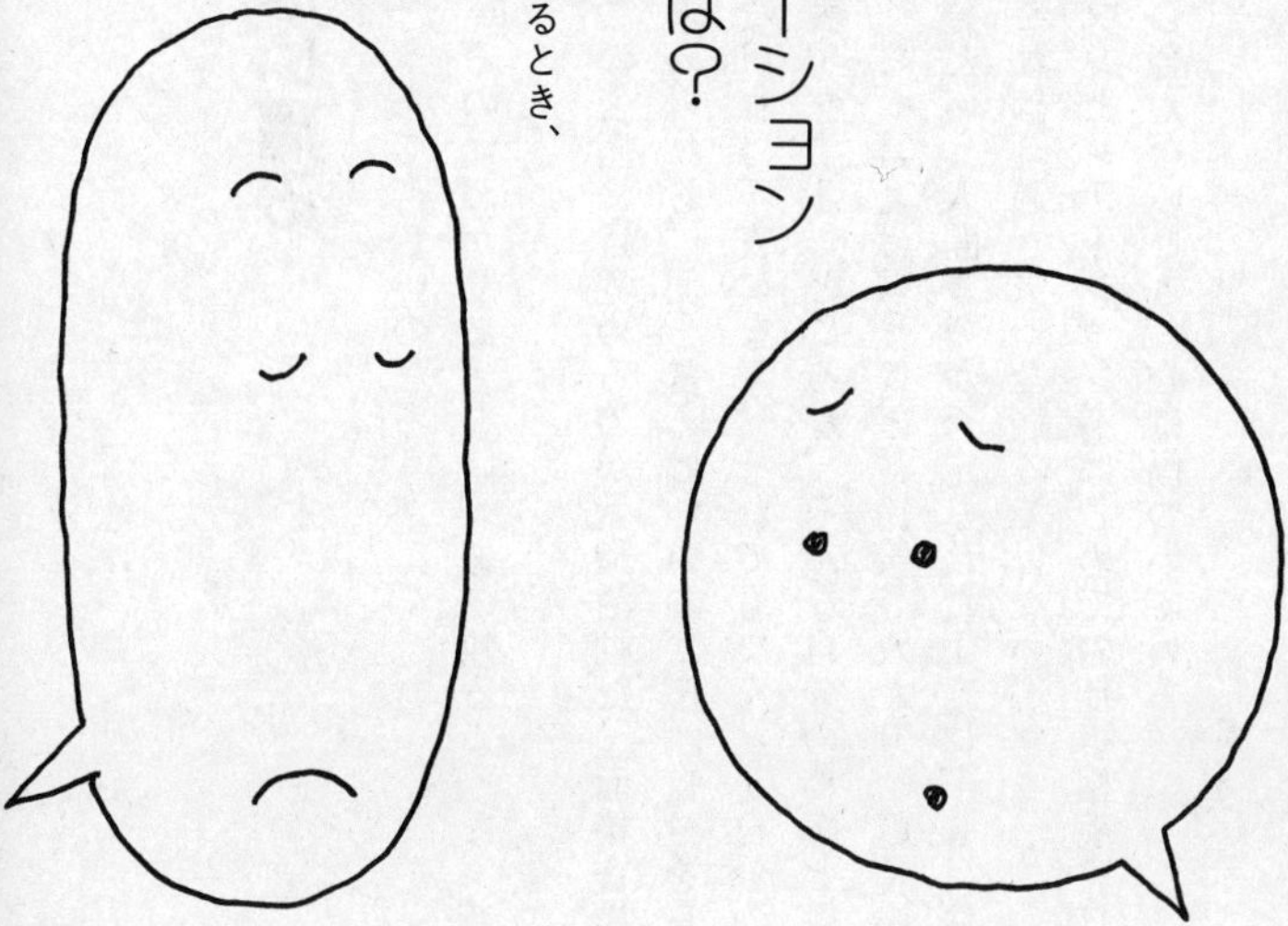

1 通じ合えない痛み

通じ合えないとき、どうして苦しいのだろう？

同じ日本語を話しているのにわかりあえない、あの焦るような、苛立つような、なんとも消耗する感じ。

たぶん多くの人が、この苦痛に目覚めるのが就職活動だ。面接官に、日ごろやったこともない自己表現を求められる。何を言えばいいのか？　自分を良く言い過ぎては良心が痛み、言い足りなければ不安になり。それでもなんとか自分の良さを伝えようと、精いっぱいの自己表現をする。ところが、そんな自分の葛藤とは、およそ無縁の角度から質問が返ってくる。言えば言うほど、冷笑されたり、軽くあしらわれたり。そんなとき、まるで自分という人間までが否定されたように、心は痛み傷ついている。

いくつになっても、これは、過ぎ去った痛みではない。

異動面接や上司へのプレゼンテーション、はじめての仕事相手、日々顔を合わせている仲間とだって、通じ合えないとき、心は傷ついている。

私は、かなり長くの間、人とのコミュニケーションで傷ついたり苦しんだりする人は、弱いのかと思っていた。

しかし、そういう人は、実は、志が高いのではないだろうか？

コミュニケーション技術を磨いて、どうなりたい？

本書を踏み台に、人と通じ合う技術を磨こうとするあなたに、まずたずねたい。技術をつけて、どうなりたいか？　人や社会とどうつながっていきたいか？　ある人は「交渉で常に自分が勝てるようになりたい」と言うかもしれない。またある人は「人間関係で傷つかないようになりたい」と言うかもしれない。あなたの目指すコミュニケーションのゴールは何だろう？

ゴールをはき違えた技術は虚しい。私は大失敗したことがある。

仕事で、ある団体のトップと交渉したときのことだ。天下りというそのトップは、ふんぞり返って、周囲を見下した感じの人だった。会議でも、ぬらりくらりとこちらの質問をかわす。責任はよそへなすりつける。それでも議事が進むに連れ、自分の立場があやうくなると察したようだった。その矛先をかわすために、今度は私という人間を貶《おとし》めにかかった。議事と関係のない私のアラを探しては、こき下ろそうとする。

私は、こみあげる怒りをぐっと抑え、辛抱強く話を続けた。ちょうど企業をやめて独立したてのころで私も必死だったのだ。しかし、トップがしつこくしつこくあげつらうので、とうとう、私の中で何かが「切れ」た。

こんな奴に、絶対に負けるもんか！

交渉のゴールはこちらの主張を通すこと、結果さえ出せればこっちの勝ちだ。なにがなんでも「結果」を出そうと思った。頭だけ、やけに冷静に戦術を練った。

まず、トップに私が好かれなければならない。私という人間が嫌われたら、私の言うことも聞いてもらえないからだ。どうやら「切れ」たのは、私の感情と言葉の接続らしい。はらわたは煮えくり返っているのに、口では相手を褒めている。

トップがどんなに論理のはずれた話をしても、うなずきながら最後まで聞く。言おうとしていることを遮ったり、間違いを指摘したりすると、感情的な抵抗にあうからだ。

「いま、おっしゃった〇〇、とても共感いたします、そのためにこうしてはどうでしょう」してもいない共感を添えながら、なんとか話を本筋に戻す。

相手のさげすみにも、わきあがってくる感情を、私は殺し続けた。感情はゴールに必要ない。相手を不快にさせたら元も子もない。

こうして1時間半の交渉の末、相手はこちらの主張を受け入れた。勝ったのだ……。

ところが、私はいっこうに気が晴れない。みぞおちのあたりにえたいの知れない違和感があった。時間がたつごとに、それは無視できないほど大きくなっていった。

翌日になると、どうしたことだろう。この仕事にも相手の団体にも、興味を失っている。いっこうに向かう意欲がわいてこない。それどころか生きるエネルギーのようなものまで、しぼんでいくような気がした。

私はゴールを誤った。

そのことだけは身体ではっきりわかった。これではない、自分が望んでいた結果はこれではない。でも、どう間違ったのか？

目指すのは結果だけか？

私は明らかにうろたえていた。そのうろたえを知人のJさんにぶつけたら、こんな質問が返ってきた。

「相手に好かれて、結果を出すだけなら、もっと簡単な方法がありますよね。山田さんはなにをそんなに苦しんでがんばっているんだろう?」

一瞬、言葉を失った。

そうだった……。

考えるのをやめ、相手の好きにさせ、愛想でもこびでもふりまいて、相手に好かれ、結果を出す。そういう世渡りをしている人は、飲み屋さんにだって、大企業にだって、たくさんいる。

でも、私はどうしてもそれができなかった。

企業にいたころ、異動の時期、部長に気に入られようとお世辞を言ったことがあった。でもその後、がっくりと落ち込み「自分は何してんだろう」と嫌になった。編集の仕事で、ここは先生を立てて引き下がれば波風は立たないという場面で、2時間ねばって話し合った。「私にこれだけ意見を言った編集者ははじめてです。だから、あなたは、いい!」と先生に言われ、心からうれしかった。

うそがつけなかった。相手にも、自分にも。

だからこそ、人と関わるたびに、悩んだり、考えたり、表現を工夫し続けてきたのだ。どうしたら、自分にうそをつかなくても、人と関わっていけるのか。どうしたら、自分として人と通じ合うことができるのか。そのための考える力であり、伝える技術であり、その教育を仕事にし、何より自分自身が学びつづけてきたのだった。

自分の想いで人と通じ合う、それが私のコミュニケーションのゴールだ。

あの会議の席、感情と言葉の接続を切ったとき、「うそ」が始まった。実感のもてない言葉は、私が私として人に関わっていることにはならない、「うそ」だ。うそで相手を操作してよい、と思った時点で、すでに相手への尊敬はない。相手の感覚を尊重していれば、簡単にうそはつけないものだ。なのになぜ、私はあのとき簡単に、うそで操作できると思ったのだろう？

いわゆる「いばったオジサン、おだてれば悦ぶ」と相手を見切ったからだ。相手を、それ以上内面を知るに値しない、自分以下の人間だと決めつけた。

だが、「いばったオジサン」という名前の人はいない。私から見れば、同じようにいばったおじさんでも、一人一人名前も違えば、生きてきた歴史も違う。私が失礼なことをされ「やめていただけませんか」と言ったとしたら、怒り出すのか、黙るのか、ごまかすのか、すまなそうな表情をするのか、実際の反応は一人一人違うはずだ。ぶつかってみなければ、相手の内面はわからない。

あのときトップの失礼な態度に、私が嫌な顔をしたとしたら、相手はどうだったろう。ぶつかれば意外な表情を見せる人だったかもしれない。今となっては知る術もない。

ここまで読んで、「何をきれいごとを」と思う人もいると思う。「うそも方便だ。自分を偽ってでも結果を出さなきゃやっていけない」と。そう思う人はやってみればいい。うそで関わって、何が見えてくるか、その光景を目にやきつけてほしい。

結果を得た翌朝、しぼんでいく私の目に映ったのは、「愚かしさ」だった。

相手への興味がなくなってしまって当然だ。うそで操作できると思った時点で相手を見切り、内面にそれ以上踏み込もうとする回路を、自分から断ってしまっていたのだから。

うそは、本当の意味で人を動かさない。人はそれほど愚かではない。仮にうそで、相手が自分の思うように動いたとしたらどうだろう？　相手が愚かしく見えるのではないだろうか。偽りで結果が出せたとしても、出せば出すほど、自分の術中にはまった相手が愚かしく見える。そういう仕事に意欲が失せるのは自然なことだ。

うそで切り開く世界にいるのは、うそで操作していい人間、内面も意外性も持たない外側だけの人間、自分の術中にはまった愚かしい人間、そして何より、一人一人違った内面を持つ人間を、そのようにしか見ることができず、そのようにしか関われない自分。外には、自分の想いで関わることができない世界がただ広がっていくばかりだ。そんな世界に、生きるエネルギーがわくだろうか。

内面で関われないとき、人は傷つく。

自分自身がわかってもらえないときも、自分が人の内面をわかろうとしないときも、心は同じように、すさみ傷ついている。

私が企業を辞め、フリーランスでスタートしたころ、フリーランスというだけで石ころみたいに扱う人がいた。昨日まで企業に所属していた自分と、フリーランスの自分、中身は何も変わらない。「自分は自分だ、何も変わらない」とわかっていても傷ついた。

逆に、自分の実力以上にかいかぶられ持ち上げられたときは、孤独感が強まった。

またあるとき、私が長く小論文をやってきた人間だということで、「会ってお話でも」という人がいた。行ってみると、矢継ぎばやに質問だけをぶつける。こちらが話そうとすることは聞かない。まるで私のことを、ボタンを押せば小論文情報が出てくる便利な機械のように扱う。研究に何年もかかったような小論文の根幹を、手短に、わかりやすく、いますぐこの場で出せと言う。聞きたいことだけ聞き終わると「じゃ」と、さっさと帰っていった。経験をシェアするのが好きな私だが、このときだけは、むしり取られたような気分になった。

そうしたシーンのひとつひとつで、好きな相手はもちろんのこと、そうでもない人や初対面の人、後から考えると「あんな奴」と思えるような人とさえ、通じ合おうと努力をし、通じ合えないと傷つく自分がいた。

人は、自分以上に見られても、自分以下に見られても、機能だけで部分的に切り取られても傷つく。それ以前に、外側だけで「おまえは何者か?」と値踏みされるような行為自体に傷つく存在なのだとわかる。

そこには、「自分の内面に基づく、相手とのつながり」がないからだ。

就職活動の若者だって、傾向と対策を仕入れ、うそで固めてでも結果が欲しいだけなら、そんなには消耗しない。どんなに「内定さえ出れば」と口では言ったとしても、では、履歴書の自分の長所を書いては消し書いては消しするのはなぜだ。面接官のひと言に、悔しさが消えないのはなぜだ。無意識に求めているのは、自分として会社に認められることだ。だから、自分を伝えることに誠実で熱心な人ほど、うまくいかなかったとき痛手を負う。

彼らの志は高い。自分の想いで人や社会と関わることを目指している。同じように、何歳になっても、どんな強さを手にしても、人と通じ合えないとき新鮮な痛みを感じつづけられる人は、志が高い。

あのトップとの会議の席で、私はうそをつく必要などなかった。だからと言って、トップを怒らせ、仕事をだいなしにしてもよかったということではない。そうではなく、自分の想いや考えで関わって、結果を出すことを目指せばよかっただけだ。

私とトップは、あの日会ったばかり。あせる必要はなかった。時間をかける必要があれば、二度、三度、と足を運べばよかったし、説得材料が足りなかったなら、用意してくればいい。相手の失礼な態度に、怒り散らすか、自分の感情を殺すか、選択は二つにひとつではない。じっと黙る。目で訴える。誠意をもって、そういうことはしないでくれとお願いしてみる。ほんの少しだけユーモアをまぜてみる……。身体と言葉の表現の組み合わせで、いくとおりもの意思表示ができたはずだ。傷ついても自分としてそこに居て、自分の表現を工夫し続ければよかったのだ。

これが、きれい事にしか聞こえない人に、私は問いたい。じゃあ、何のために、いままで人間関係に苦しんだり傷ついたりしてきたのだろう。何のために、言葉のもどかしさにいらだったり失望したりしながら、それでも言葉に心を砕いてきたのだろう。なんのために、人はわざわざ時間をとって会議をし、傷ついたり傷つけたり、ときにケンカをしながらも、それでも人と話し合うのだろう。内面で通じ合うことを諦めたら、そのすべてが虚しいし、諦める必要なんかない。相手もそれを待っている。内面のない石のように扱われて歓ぶ人間など一人もいない。

「伝わらない」と傷つくとき、あなたに必要なのは、妥協なんかでは決してない。まるくなる、というのとも違う。人間操作のあるパターンを憶え込む、というのとも全然違う。

必要なのは、ちょっとした技術だ。自分の言いたいことをはっきりさせる思考法、それを、相手に伝えるための表現技術。技術を磨けば、自分を偽らなくても何とかやっていける。

本書を踏み台に、その技術を鍛えていこう。

2　自分のメディア力を高める

今度は、目指す能力のゴールを考えてみよう。コミュニケーション力をつけるというとき、いちばんに、どんな力をつけることを目指したらいいのだろうか？

外から観た自分

「山田さんは、仕事を抱え込んでいる」

当時、企業で編集者をしていた私は、ある日、同僚にそう言われ、あぜん……とした。なぜなら、その時ほど、自分一人で仕事を抱え込まず、外に出していっていた時期はなかったからだ。外部のいろんなジャンルのプロを開拓し、チームによるものづくりが軌道に乗ったときだった。

チームの人間は、ほとんど社外、打ち合わせや会議も、全部外に出向いてやっていた。そこで熱いバトルや発見があり、くたくたになって社内に帰り、息つく間もなく、次の編集方針をまとめる日々。充実感があり、これが同僚たちにも伝わっているだろう、と私は勝手に思っていた。だから、なぜ、仕事を抱え込んでいるというまったく逆のイメージを持たれるのかわからなかった。

それで、「外から観た自分」を、順にふり返っていったら、「ああ！」とわかったのだ。何も伝えずにいると、私の仕事ぶりは、同僚から見て、ただこう映るだけなのだ。

山田のつもり＝チームの人間は、ほとんど社外、

（同僚から見ると＝山田さん、このごろ社内の人間と話したり、仕事したりしてない。）

山田＝打ち合わせや会議も、全部外に出向いてやっていた。そこで熱いバトルや発見があり、

（同僚から見ると＝山田さん、単に席にいない。いつもいない。）

山田＝くたくたになって社内に帰り、

（同僚から見ると＝山田さん、たまに見かけると疲れてる。）

山田＝息つく間もなく、次の編集方針をまとめる日々。

（同僚から見ると＝山田さん、パソコンに向かって、難しい顔して一人で何かやってる。何やってるのだろう？）

山田＝充実感があり、これが同僚たちにも伝わっているだろう、
（同僚から見ると＝それでも期日になると手が込んだ出版物ができてくる。山田さん、どうやってつくってるんだろう？　一人で抱え込んでるんじゃないんだろうか？）

つまり、何をやっているのかわからない↓自分一人で抱え込んでいるのだろうか↓仕事を抱え込んでしまっている、というイメージのできあがりだ。外から見て「わからない」という状態は「白紙」ではない。人は空白という状態に耐えられないから、憶測で埋めようとする。「ああではないか」「こうではないか」と言っているうちに、それが何人かになると、もう、本当のことのようにささやかれる。

伝えなきゃ、伝わらない。

この当たり前のことが、リアルにわかった瞬間だった。

わかってもらえないと思うとき、落ち込んだり、相手をうらんだりする前に、二つ自問してみよう。わかってもらうために、自分はどんなことをしてきたか？　自分は人のことをわかろうとしているのか？

「黙っていい仕事をしていれば、わかってもらえる」と私は思っていた。でも、多く

の人が、忙しく、さまざまな仕事をしている会社では、人の仕事をいちいち見てはいられない。仕事の成果を見ても、どうやってつくったかプロセスまではわからない。ましてや隣りの席に居る人の頭の中の、まだ形にしていないものを、一体どうやってわかれというのだろう。

現実には、社内で目に見える発言やふるまい、うわさや評判が、人のイメージを大きく左右していた。人は、ある人の一日の行動をすべて見ることはできない。だから自分が見聞した部分的な情報だけで、その人のイメージをつくってしまう。同僚たちは、外でいきいきしている私の姿を見ることはできず、エネルギーを使い果たして席に戻った私の姿で心証をつくっていたのだ。

よくよく考えたら、そのころ、同僚の風当たりがきついことが二、三あった。私が一人で仕事を抱え込んでいるというイメージが、さらなるマイナスの「うわさ」を生んでいたらしい。私自身は、ノリノリだから、周囲のそういう風さえ感じていなかった。気づかずにいると手遅れになっただろう。正直に言ってくれた同僚に感謝だ。

ちょうど会社で、情報化が急速に進んでいたころだった。eメールで、社内外のだれとでも気軽にやりとりできるようになり、行き交う情報が爆発的に増えた。しかし、その気軽さゆえ、誤解が生じやすい文書もそのまま出まわってしまう。みんな、たくさんの情報をどう判断していいか、疲れ、ふりまわされやすくなっていた。

そういう中で、誤解されずに、自分を伝えていくにはどうしたらよいだろうか？

そもそも、誤解されるも何も、じっと黙っていたらたくさんの情報に埋もれ、自分の存在すら忘れられていく。「表現されない自己は無に等しい」そんな言葉を聞いた。そんな時代に自分は生きている。

このときを境に、私も、自己発信や社内認知ということを考えずにいられなくなった。

この一件に関しては、上司や同僚を編集会議の現場に連れて行って、実際に見てもらった。「まさかこんなつくり方をしていたとは！」と驚いていた。

しばらくすると私は、社内で動きやすくなっていることを感じた。

現場を見た上司や同僚が、「山田さんが面白いものづくりをしている」といい評判を立ててくれたのだ。そうして「仕事を抱え込んでいる山田さん」から、「面白いものづくりをしている山田さん」へ、外から観た印象が変わっただけで、発言は通りやすくなった。企画を上に通すにも、上司や同僚がよく理解して応援してくれるようになった。

自分の「メディア力」って何?

私たちのまわりには、さまざまなメディアがある。テレビ、新聞、雑誌、インターネット……。テレビにも、NHK、民放、ケーブル放送……。新聞にも、毎日、読売、スポーツ紙、マスコミ以外にもあまたあるミニコミ誌……。

例えば、「宇宙人発見!」というニュース、何で言われたらあなたは信じるだろうか?

「東京スポーツに出た」
「インターネットで見た」
「NHKの7時のニュースで言った」
「フジテレビを見ている途中、字幕のニュース速報で出た」
「朝日新聞が号外を出した」

宇宙人発見という、まったく同じメッセージなのに、何で言われるかで、あなたに与える印象や意味合いがとても違うことがわかるだろう。情報そのものではなく、「どのメディアが伝えるか?」がものを言うのだ。

人間も同じだ。社内では「NHKの7時のニュース」のような、信頼されているAさんが「あの、宇宙人が……」と言いかけたら、みな「Aさんの言うことなら間違いない、宇宙人がどうしたんだ？」と聞き耳を立てるだろう。社内で「東スポ」的なBくんが、「あの、宇宙人が……」と言いかけても、そこですでにみんな笑うかもしれない。でも、Bくんが次どんな面白いことを言うか楽しみにしている人もたくさんいるし、同じことでもBくんが言うからこそ楽しい。めったに口を開かず、何か言うときは一大事という「朝日号外」的なCさんが、「あの……、」と言いかけたら、もうそれだけで、みんな何か大変なことが起きたと構えるだろう。何を言うかより、だれが言うか。あなたはどんなメディアだと思われているだろうか？

同じ人物でもメディア力は変わる。ノーベル賞受賞前と後の田中耕一さんでは、発言ひとつが届く範囲や人数、影響力がまるで違う。メディア力が劇的に変化したのだ。

「メディア力」があるってどういうこと？

では、「メディア力って地位や名誉なの？」という疑問も出るだろう。地位があがれば、発言力は増す。メディア力には、そういう要素も含まれる。でも私は、発言力をあげたいなら、努力してビッグになれ、ということが言いたいのではない。

学歴、地位、といういわゆる「偏差値」的なものは、一つのモノサシで人を序列化してしまう。「メディア力」は単一のモノサシで測ることはとてもできない。

ちょっと実験してみよう。たとえば、学歴というモノサシで、「メディア力」が測れるか？　次の発言、あなたはどちらの方が、影響力があると思うだろうか。

今、もう学歴社会は崩れています。（20歳の東大生）
今、もう学歴社会は崩れています。（中卒5年目の社会人、20歳）

発言の影響力を単純には比較できないのに気づくだろう。同じことを言っても、意味合いが微妙にちがってくるからだ。さらに聞く人の内面によっても、どちらの発言の方が響くかは変わってくる。学歴があってこそ伝わるメッセージもあれば、学歴に頼らない人が言ってこそ人に伝わるメッセージもある。

人気絶頂のときは、何を言っても何をしても好意的に受け入れられ、メディア力は最高と言えなくもないけれど、人気絶頂のときには言えない、言ってもイヤミになるだけの言葉だってある。逆にどん底に落ちたときしか言えない、人を揺さぶるメッセージだってあるのだ。

「メディア力」は、多様な軸で、複雑に編み上げられた、その時の、その人が放っている世界だ。

「太郎さんは、華やかで賢そう、でも移り気で相手のためを考えてなさそう」

「花子さんは地味で暗い感じだけれど、深みがあり、実のあることを言ってくれそう」

というように、それぞれがまとっている世界はちがうのだ。自分というメディアを知って、自分にしか言えないことを伝えることが大切だ。

では、一概にビッグになるということでないなら、いったい「メディア力を高める」とはどうすることだろう？

メディア力を高めるとは？

私たちは、何かを伝えようとするとき、伝える内容の方に一生懸命になる。しかし聞く方は、予備知識も含め、あなたというメディア全体が放っているものと、発言内容の「足し算」で聞いている。

「仕事を抱え込んでしまって困っている山田さん」が、「新商品は、何をつくるかよりも、いかに新しいつくり方をするかです」と言ったって、説得力がない。

しかし、「新しいものづくりをしていると評判の山田さん」が、「新商品は、何をつくるかよりも、いかに新しいつくり方をするかです」と言えば、みんな「いいことを言うぞ」と聞き耳を立てるだろう。そういう状況の中で話し始めれば、同じことを言っても、よく理解され、発言は通りやすくなる。発言が通れば、信頼感が増し、さらに発言が通りやすくなると、いいスパイラルになっていく。

どうしたら、あなたが口を開く前に、周囲の人から、あなたの話を聞こうという気持ちを引き出せるのか？　どうしたら、クライアントが、あなたの企画書の表紙を開く前に、「あの人の企画なら間違いない」と思ってもらえるのか？

自分の聞いてもらいたいことを聞いてもらえるメディアになる。

「メディア力を高める」とは、そういう意味だ。少し引いた目で、外から観た自分をとらえ、それを「こう見てほしい」という自分の実像に近づけていくことだ。

自分以上に見られたい、という人もいると思うが、私はその必要はないし、戦略としてうまくないと思う。考えてみてほしい。外から見て人があなたに期待する、その「期待値」に、常に自分の内面がともなわないのだ。コミュニケーションの入り口はよくても、関わるごとに相手は、期待以下の実感をもつ。コミュニケーションの出口には、「幻滅」が待っている。

そうではなく、自分の偽らざる内面のうち、どの面を見せ、謳っていくかだと思う。

「メディア力」をつくるものは何だろう?

もちろん、時代性とか、運とか、自分でどうにもならないものもあるだろうけど、自分の営みによって、結果的に形成されていく部分が大きいと私は思う。日ごろの、立ち居ふるまい・ファッション・表情。人への接し方、周囲への貢献度、実績。何をめざし、どう生きているか、それをどう伝えているか? それら全ての積み重ねが、周囲の人の中にあなたの印象を形づくり、評判をつくり、ふたたび、「メディア力」として、あなたに舞いもどってくる。動きやすくするのも、動きにくくするのも、自分次第だ。

自己発信したいフィールドで「あの人なら間違いない」と言われるメディア力があれば、自分の言うことは速く、影響力をもって伝わる。

具体的な技術に入る前に、あともう少しだけ、目指すゴールのイメージをわかせておこう。

3 信頼の絆をつくる

コミュニケーションというのは、人と人との間に、橋を架けるような作業だ。だれもが、最初は初対面だった。それが、いつの間にか、一緒に仕事をしたり、心が通じたり、大喧嘩さえできるようになるのだから、ほんとうに不思議だ。みんな、どうにかして橋を架けているのだ。あなたは、どうやって橋を架けてきたのだろう?

橋を架ける技術には、いろいろある。

重宝しそうなのが「論理」という橋だ。この橋を渡りきった先のゴールは「説得」だ。考えが違う人と、「私はこう思う」、「俺はこう思う」と言い張っているだけでは、一生、橋は架からない。だから、二人にとって公平な根拠を探してくる。データとか、客観的事実とか。それを、まるで詰め将棋のように、筋道立てて並べていく。「原因がこうだから……、結果がこうなるでしょ……、すると……」

あっ、なるほど!

と自分も相手も「納得」したら、そこがゴールだ。その瞬間、すっと腑に落ちる。「論理」の橋は、「ひらけ」を生む。一緒に、対等でひらかれた場所に出て行くような快感だ。

ところが、「論理」では、橋が架からないことがある。メッセージは関係の中で、人の心に届くからだ。正論は、ときに人を傷つける。

そこで、「共感」という橋が登場する。初めて会う人同士でも、言葉やふるまいに、何かひとつでも、「そう、そう！　私もまさにそう思ってたの」とか、「わっかるなー、その気持ち」ということがあれば通じ合える。理詰めで説得して、肩をゆすっても、動かせなかった相手が、

いいな。

と共感することで、相手の方から動いてくれる。この橋のゴールは、「好き」になること。ファンとか、シンパになることにつながる。ディズニーランドに何度も足を運ぶ人は、説得されたのではなく、好きだから、心が向くからだ。

橋は他にも、「情」の橋、一気に感動というようなゴールに到達する「芸術」の橋、などさまざまある。

中でも、仕事や社会生活で、私たちが、日々格闘しているのが、「信頼」という橋を架けることだ。仕事のトラブルも成功も、繰り返し、信頼関係という問題におちていく。信頼の橋は、つくるのがとっても大変なのにとてももろい。あっという間に崩れてしまう。つくるのに長い年月がかかるかと思えば、短時間でできあがってしまうこともある。この橋が架かる条件は何だろう？

この橋のゴールには、「世界中の人がなんと言っても私は、あなたを信じている」、あるいは、「何も言わなくてもわかっている」というような、

互いの内面による絆

がある。初対面の億劫さ、通じ合えない数々の傷も、こうした絆ができることで、心からの満足に変わる。自分の発言は、よけいなブレや誤解という段階を超えて、相手に受け入れられ、実りを生む。絆が広がることで、人や世の中に対して、積極的に自分を謳っていくことができる。

この章では、コミュニケーションのゴールを探ってきた。これらのことを参考に、さらにあなた独自の目指すゴールのイメージを固めていってほしいと思う。

では、いよいよ次章から、自分のメディア力を高めながら、人と通じ合うための具体的な思考・表現の技法を、論理、共感、信頼のステップでつかんでいこう！

第2章 人を「説得」する技術

説得は、「なぜ?」に
心を砕くことからはじまる。

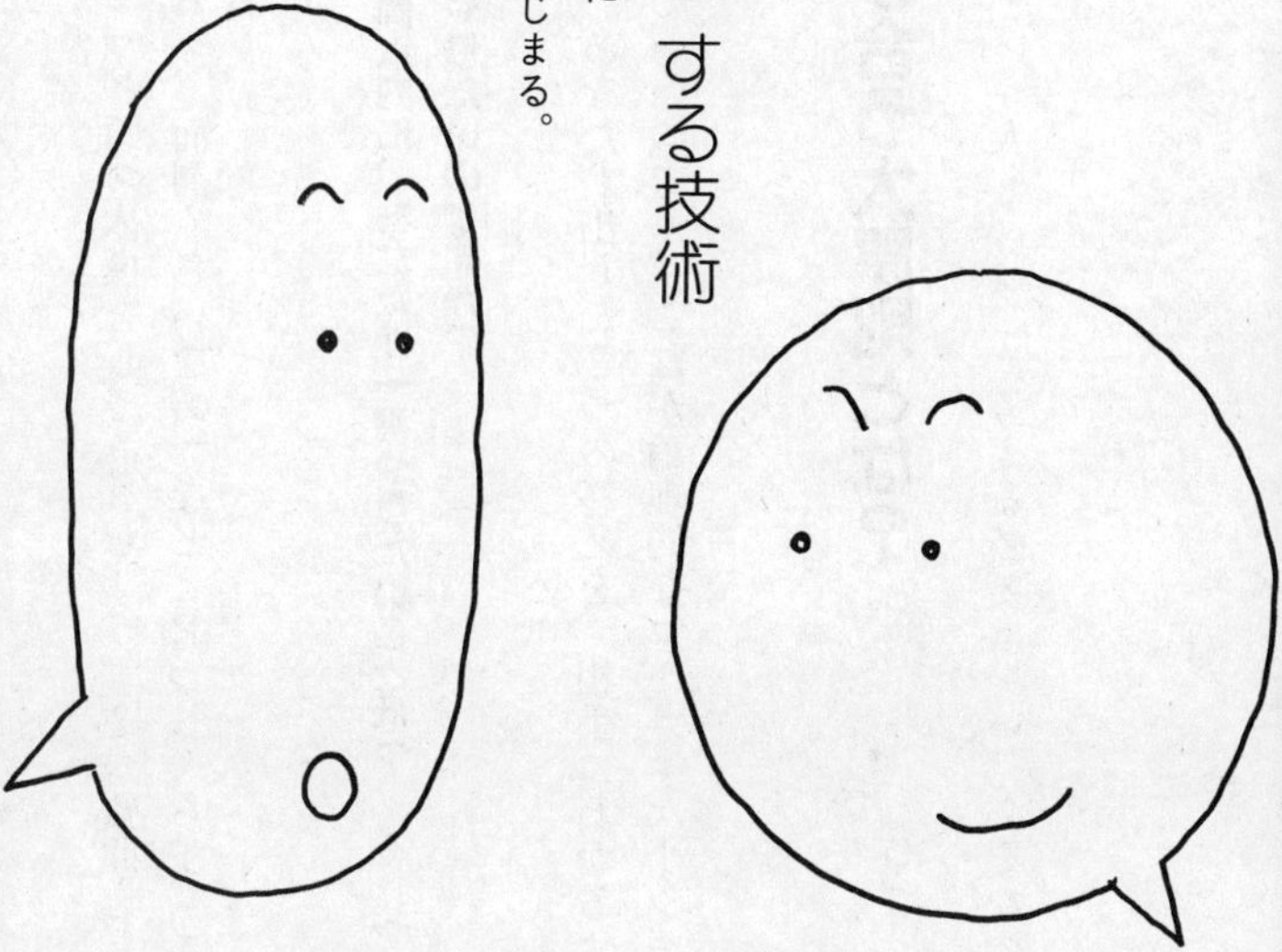

いきなりですが、ちょっと頭の体操をしてみましょう。2つ質問をします。心の中で答えてください。(「ちぇ、面倒くさいなあ」などとおっしゃらず、まあどうぞ、まあどうぞ。)

1問め　いまから24時間以内に、あなたが一番やりたいことは?　↓　(　　　)
2問め　なぜ、それをやりたいのですか?　↓　(　　　)

できましたか? 今、あなたが出した2つの答えを、相手にわかるように筋道立てて説明していく、これでいいのです。これが論理的なコミュニケーションなんです。

1　論理で通じ合う大原則とは?

「論理はニガテ……」という人も、難しく考える必要はない。必要なのはこれだけだ。

意見 と なぜ

つまり、自分がいちばん言いたいこと(＝**意見**)をはっきりさせ、なぜそう言えるか(＝**理由**)を筋道立てて説明していく。ゴールは相手に「なるほど!」と思ってもらうこと、つまり「**説得**」だ。

「意見となぜ」は、論理的なコミュニケーションの大原則だ!

「意見となぜ」ではじめよう!

例えば、「24時間以内に一番やりたいことは」と聞いて、中年のおじさんが、いやらしそうな笑みを浮かべ「女子高生とお話ししたいですね」と言ったらどうだろう?あるいはやる気のなさそうな若者に「やりたいことはない」と言い捨てられたらどう思う?　どう思うも何も、これだけではわからない。

意見は自分の中にあるもので、そのままぶつけても、他人には理解されない。「私はこう思う。あなたはそう思わない。好きなものは好き、嫌なものは嫌。私は私、あなたはあなた」これじゃ一生相手との間に橋は架からない。

そこで「なぜ?」の出番だ。

中年のおじさんが、「女子高生とお話ししたいですね。**なぜなら**、女子大の理事長をしておりまして、深刻な志願者不足に悩んでおります。女子高生が大学に何を求めてくるのか聞いてみたいと思いましてね」と言ったらどうだろう。また、若者が、「やりたいことはない。**なぜって、**フラれたばっかりでなにか考えるのもキツイんだ」と言ったとしたらどうだろう。

聞く側にも「ああ！　そうだったの……」と、心の動きが出てくる。「?」だったのが、「すっと」腑に落ちる感じ、それが納得感だ。論理は知に架ける橋だけど、本当に納得したとき心も動く。

理由や根拠を示すことで、相手は好き嫌いをこえた視野であなたの意見を聞くことができる。「あなたがやりたいことは私とは全然違う。でもそういう状況の中であなたがそうしたいと思うのはわかる」と。また、根拠がガラスばりだからこそ、相手は自由に突っ込みを入れることもできる。「そういう理由があるんなら、こうしてはどうか」と。

「なぜ」を考え、「なぜ」を伝える

これは、好み・背景・考えが違う人々がひしめく中で、ひらかれた対等なコミュニケーションをしかけていくための原則だ。

「意見となぜ」でほぼどこでも

「意見となぜ」のシンプルな形で、日常からビジネス、はては論文まで、話す・書く・読む・聞く・会議、たいていのコミュニケーションはまかなえる。

ビジネスで、「部長、あと500万円予算を上げてください。（意見）↓（なぜ）500万あればモノでなくサービスを提供できるからです」。

プライベートでメールを書く、「メールでは込み入った話ができないから、（なぜ）↓（意見）会って話そうよ」。

論文で、「実験の結果、9割の児童が使い捨て文化を見直したから、（なぜ＝論拠）↓（意見＝結論）環境教育として子どもに農業体験をさせることは、有効だ」。

会議でも、「意見となぜ」で発言すればいい。「田中さんの発言についてどう思うか？」と聞かれたら、田中さんの「意見」に賛成するか反対するか、賛成するにしても「理由」は同じか違うかと考えていけばいい。「私は、田中さんのイベント中止という意見に賛成です。（意見）↓（なぜ）でも理由は、田中さんのおっしゃるようなお金の問題ではなく、お客さんのニーズに合わなくなってきていると思うからです」と。

詩や小説など芸術や情緒による領域を除くと、こんなふうに「意見→なぜ」、「なぜ→意見」で、ほぼどこでも行ける。もちろん、伝えることはそんなに単純じゃない。しかし、複雑になっていくのは、あくまで中身、「意見となぜ」のシンプルな構造は活きている。

首脳陣が集まる会議だって、ここ一番のプレゼンテーションだって、自分が言いたいことと、それを裏付ける確かな根拠があれば、まずは通じるのだ。コミュニケーションでこんがらがったときは、いつでも落ち着いて「意見となぜ」を思い出してほしい。

では、その中身はどうやって充実させるか？　次に見ていこう！

2　考える方法を習ったことがありますか？

自分の内面で人や社会と関わっていきたいなら、まず自分の言いたいこと（＝意見）をはっきりさせることが必要だ。「モヤモヤして自分でも言いたいことがわからない」では伝えようがない。でも、そんなときでも大丈夫、人との関わりでモヤモヤすることと自体、すでに他人とは違う自分がある証拠だ。あとはそれを引っ張り出すだけ、それが「考える」という作業だ。

ここで、ちょっとまた、頭の体操をしてみよう。

次の質問にひとつずつ、心の中で答えていってください。いいえ、さして時間はかかりません。リラックスして、どうぞ。

いま、食べたいものは？　↓（　　　　　　　　）
今週中にどうしてもやりたいことは？　↓（　　　　　　　　）
今月中に予測できるもっとも楽しいことは？　↓（　　　　　　　　）
今年中に会いたい人は？　↓（　　　　　　　　）
この1年でいちばんつらかったことは？　↓（　　　　　　　　）
明日の自分、現実的に考えて、最悪のシナリオは？　↓（　　　　　　　　）
明日の自分、現実的に考えて、最良のシナリオは？　↓（　　　　　　　　）
最悪のシナリオになるとしたら何が原因？　↓（　　　　　　　　）
最良のシナリオになるには何が必要？　↓（　　　　　　　　）

今から24時間以内に、あなたがいちばんやりたいことは？→（　　　　　　）

最後の質問、どんな答えが出ましたか？　考えるって、頭の中でどんな作業してますか？

考えるための道具を手に入れる

「考える方法なら高校で数学の考え方を教わった」という人もいるだろうけど、高校までの勉強の大部分は「暗記と応用」だ。決められた一つの正解に近づくために、知識や法則を覚え、応用する。暗記→応用→暗記→応用……。そうではなく、まったく正解が存在しない問題を、自分で考える方法を習ったことがあるだろうか？

そこで今日、「考える道具」を持つことにしよう。なに、荷物にはならないから、一つだけ持っていこう。考える道具はこんなカタチをしている。

考える道具とは、そう、「問い」だ。

自分でものを考える方法とは？

考えるスタートは、「問い」の発見だ。

問題が与えられたら、私たちはすぐ、「答え」を探そうとする。暗記と応用で正解を出すことに慣れているからだ。でも、正解のない問題を自分で考えたいなら、まず、「問い」を探すことだ。

その問題を考えるのに有効な、具体的で小さな疑問を、できればいくつも洗い出すことだ。

例えば、「北朝鮮拉致問題をどう思うか？」と問われ、すぐ答えが出るだろうか。問題が大きすぎて考えるのが億劫になるか、すぐ意見を言ってみても、うすっぺらいものになるか。こんな大きな「問い」のまま、考え始めても、思考があっちに広がりこっちに飛び、収拾がつかなくなって、「正解のない、難しい問題であった」と放り出したくなる。

発見のない思索は、徒労感を強め、考えること自体への意欲をしぼめてしまう。こんなときは、具体的な「問い」を立ててみるのだ。

この問題はいつ起こったのか？　（WHEN）
関係しているのはだれだれか？　（WHO）
日本だけで起きたのか、よその国はどうか？　（WHERE）
世界の歴史の中で、これに似た問題は何か？　（WHAT）
そのとき、どう解決したか？　（HOW）

というように、ちょっとがんばれば手が届きそうな「問い」をいくつも洗い出し、問

題をほぐしていくのだ。そうやって洗い出した「問い」を選んだり、整理して並べたりしながら、

自問→自答→自問→答えが出ない→調べる→答えがわかる→さらにその答えから疑問が生まれる→自問→自答→自問→自答……。

これを粘り強くつづけることが「考える」作業だ。そうして、「あ、そうか！」という発見、何かがすとんと腑に落ちる感じ、「私が言いたかったのは、まさにこれだ」というのが見つかったら、それがあなたの「意見」だ。

この章の最初にお聞きした「24時間以内にやりたいこと」を思い出してほしい。これくらいの問いなら、ぱっと答えを出した人がほとんどだろう。でもぱっと答えたものの何かしっくりしない人や、やりたいことが何も出てこず不安になった人もいると思う。

では、9つの問い→答え→問い→答え……を積み重ねた後、10番目に出した「24時間以内にやりたいこと」はどうだろう。最初と答えが変わったという人、あるいは同じだったという人も「納得感」が違わないだろうか。それが「考えて」出した答えだ

からだ。

問い↓答え↓問い↓答え……を、繰り返すうちに、次第に自分の内面があぶりだされていく。そうやって出した自分の「意見」はなかなか揺らがない。

答えが見つからず、どう考えていいかわからないときは、不安がったり落ち込んだりする前に、1つでもいいから「問い」を立て、自分にインタビューしてみよう。例えば、

やりたいことが浮かばないなら、では、やりたくないことは何か？

という風に。出てきた答えにまた、「なぜ、それをやりたくないか？」と問いかける。すると、やりたくないことの条件が見えてくる。「では、その条件をひっくりかえしたらどうなるか？」……そんな風に、ちょっと問いかけるだけでも頭は動いていく。

学校で習った5W1H（いつ？　どこで？　だれが？　何を？　なぜ？　どのように？）なんていうのも、けっこう使える。例えば、

24時間以内に、自分が関わる人物はだれとだれか？（WHO）

これから24時間を、自分が過ごす場所はどこか？（WHERE）

なぜ、一番やりたいことをはっきりさせるのだろうか？（WHY）

こんな素朴な問いでも、いくつか問いを出すだけで何か突破口が見つかりそうだ。

自分から納得のいく意見を引き出す

自分から納得のいく意見を引き出せる人は、よいインタビュアーのようなものだ。インタビュアーにも、問いと答えが、ポキン、ポキン、と途切れた感じで面白くない人と、流れるように、相手の内面を引き出していく人がいる。自分は、自分にとっての良いインタビュアーになることを目指そう。

要はどんな問いを、どんな順番で聞いていくかが、インタビュアーの腕の見せ所だ。いきなり重い問いをぶつけたり、表現を変えただけで結局同じような問いばかりぶつけていると、答えにつまってしまう。問いの組み方にはちょっとしたコツがいりそうだ。

先にあげた、10の問いを振り返って見てみよう。

1．いま、食べたいものは？

2. 今週中にどうしてもやりたいことは？
3. 今月中に予測できるもっとも楽しいことは？
4. 今年中に会いたい人は？
5. この1年でいちばんつらかったことは？
6. 明日の自分、現実的に考えて、最悪のシナリオは？
7. 明日の自分、現実的に考えて、最良のシナリオは？
8. 最悪のシナリオになるとしたら何が原因？
9. 最良のシナリオになるには何が必要？
10. 今から24時間以内に、いちばんやりたいことは？

5W1Hの中では、WHY（なぜ）の問いは、たいていレベルが高い。例えば、「あなたはいつ生まれたか？」「どこで生まれたか？」と聞かれて、どちらもすぐ答えられそうだ。しかし、「あなたはなぜ生まれたか？」だとすぐに答えは出ない。「なぜ」の問いはそれだけ核心を突く重要な問いだ。だから早い段階で「なぜ」の問いを立ててしまうと、考えが行き詰まってしまうことがある。この10の問いでも、WHY（原因）絡みの問いが登場するのは、終わりの方、やっと8番目になってからだ。

インタビューを滑らかにするためには、易しい問いからはじめて、徐々に難しくしていくといい。例外もあるが、一般的に問いは、「具体」から「抽象」にいくほど難しくなる。時間は、現在から遠いことを聞くほど難しくなる。そこで、この10の問いは、「いま、食べたいもの」という、具体的で身近な問いから出発して、「楽しいこと」など徐々に抽象度をあげている。時間も、今→今週→今月→今年……と、徐々に遠くなっている。また、「現実的に考えて」などと入れるのも、思考が余分に拡散するのを防ぐ手だ。

5番目の「この1年でいちばんつらかったことは？」という問いは、そこまでの流れの中で違和感がある。1から4までが、「今→今週→今月→今年」と「未来」へ、「食べたい→やりたい→会いたい」とポジティブな方へ向かっており、5は明らかにこの流れに反する。

5のような問いを「距離のある問い」という。未来に向かっていたベクトルを、ぐっと過去へ、ポジティブに向かっていた問いを、ネガティブへ向かわせるものだ。

問いの配列には、段階や方向がいるが、一方向に傾きすぎ、段階を踏みすぎても、視野が狭まり、思考が停滞しやすい（会話がつまらなくなるときは、この可能性が高い）。「距離のある問い」を、途中に挟むことで、動きが出てくる。

「過去のつらかったこと」という逆方向をたどってみることで、6以降の明日に関する問いに、より立体的な答えが導ける可能性が出てくる。

そして、今後の具体的な策を考える前段階として、「最悪のシナリオになるとしたら何が原因?」と原因を考えるWHYの問いが効果的に置かれている。**WHYは核心を突くからこそ、ここぞというところに使おう。**

未来へ、過去へ、と視野を広げた問いは、明日を経由して、再び「今」で終わっている。

このように、「問い」が、行ったり来たりする感じ。ちょっと寄り道したり、大幅に軌道をはずれたように見えながら脱線せず、実は、全体として意味を持ってつながっている感じ。ここでは、そんな問いの組み方をイメージしておくだけでOK! 次へ進もう。

自分で考え抜くというと、厳しい印象ばかり受けるが、ちょっと肩の力を抜いて、発想が出やすいように自分に質問してサポートしてあげると捉えてはどうだろう。これがうまく自分にできるようになれば、人に対しても聞き上手・引き出し上手になれるわけだ。自分とのコミュニケーションがうまくいけば、他者とのコミュニケーションもうまくいく、というのは、こうした「問い」の技術面からも言える。

3　いい「問い」をどうやって見つけるか

論理で通じ合うには、「意見となぜ」と言った。自分が心から言える明確な意見と、相手が納得のいく根拠を示すことだ。そのためには「問い」を立てる力がどうしても必要だ。

意見も理由も、どこにも正解なんかない。「問い」というスコップを使って、自分の内面を掘ったり、身の回りの現象・知識・データを掘ったりして、自分で掘り当てるしかない。そのとき、人は、自分の立てた「問い」に見合ったものしかつかめない。「問い」がつまらないと、がんばって掘ってもつまらない「意見」しか出てこない。

まずは、いい問いを発見しよう。

すぐに答えがでなくても、いい問いが立っていれば、納得いく意見に向かって着実に掘り進める。いい問いは状況を切り拓くカギだ。

では、問いを発見する具体的な手段を仕入れよう。あなたは問いが立つ人だろうか？

問い発見の手段──(1)タイマー3分問いの洗い出しワーク

用意するものは、タイマー・紙・ペン。

やり方は、とってもカンタン。紙の真ん中に、問題となっていることを、大きめに書いて、丸で囲んでおく。タイマーで正確に3分計って（集中力を高めるため）、その問題について、思いつく限りの「問い」を書き出していく。（次のページの例参照）

これは、テーマについて有効な「問い」を見つけるために、今日からすぐ実践できる方法だ。

仕事では、3人くらいのチームでこれをやって、同じテーマに対する問いを出し合ったり、それをもとにディスカッションしたりすると、問題解決につながるいい問いが見つかる。会議が停滞したときにも、ちょっと3分取って試してみるといい。

研修で社会人にこれをやってもらうと3〜7個という人が多い。めったにいないが20個という人もいた。そして、驚くことに1個も問いが出せない人もいる。仲間からもさんざん促されて、やっとのことでその人が書いたのは、例えば「部長に派遣社員増員のことを言えばいいんじゃないの?」というような、「意見」の語尾を疑問形にしただけのもの。これはもう、自分の中で結論が出てしまっている。「問い」ではない。高校生の文章を読んでいても、やはり、まったく「問い」が立たない症状の子がいる。

問いが立たないというのは、思考停止に近い状態だ。

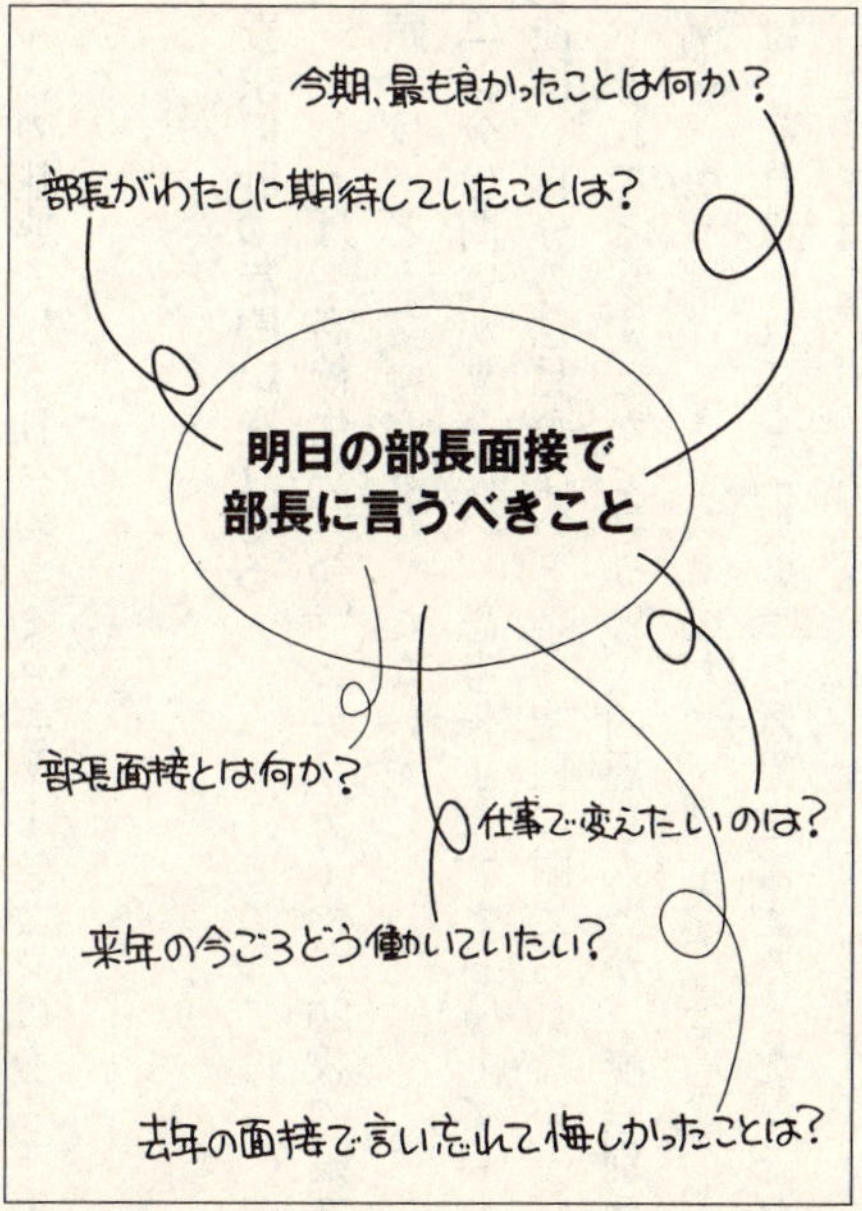
今期、最も良かったことは何か？
部長がわたしに期待していたことは？
明日の部長面接で
部長に言うべきこと
部長面接とは何か？
仕事で変えたいのは？
来年の今ごろどう働いていたい？
去年の面接で言い忘れて悔しかったことは？

〈問いの洗い出しワーク例〉

この状態では、日々のコミュニケーションにもさぞ事欠いているのではないだろうか？

要求に叶った問いを立てる

たとえば、高校生が「命」というテーマで20枚の論文を書く場合、問いが立たない頭では、とうてい字数が持たない。

「自分は問いが立たない、思考停止だ」と自覚していればまだいいのだが、多くの生徒は、自分の意見がないという空白に耐えられない、何かで埋めようとする。

それでどうするかと言うと、凶悪殺人とか、無差別テロとか、わざわざ極端に悪い例を、引っぱってきて裁くのだ。「命」とお題を与えられて、「凶悪殺人」を持ち出せば、それはだれでも「悪い」と意見を言える。だがそれは、その生徒が心から言いたいことではない。

意見を言おうとして言えないために、わざわざ極端に悪い例を引っぱってきて裁く。この論法を私は「悪魔の小論法」と呼んでいる。悪魔だって、呼び出さない人の前にはそう簡単には現われない。それをわざわざ探しにいくから悪魔の小論法。

あるいは、自分の思考の畑で育たない意見を、まるで出前をとって間に合わせるかのように、マスコミやインターネット、どこかでだれかが言っていた意見を、自分の意見のように書いてしまう。

同じ症状は、おとなの日々のコミュニケーションにも見られる。職場や近所の人の、何か明らかに悪い例を話題に持ち出しては、裁く。あるいは、だれかが言っていたことを、自分の考えのように話して場を持たせる。これらは悪意というより、問いが立たないためではないかと私は思う。こうした実感が伴わない会話で、通じ合えないのも無理はない。

一方、いい「問い」が立つ人は、興味ある問いが、謎が謎を呼ぶように次々わいて、長い会話も持ちこたえられるし、実感のこもった自分の意見が言える。「問い」が立たないと、さらに困ったことに、話が通じないとき自分で頭を切り替えられない。

例えば、会社でミスが出たときに、「私は悪くない！」と、自己弁護ばかりしている人がいたとする。まわりの人は、「いや、そんな問題じゃなくて」と冷ややかだ。そういうときに、この人が自分で気づいて頭を切り替えるためには、少なくとも3つの「問い」がいる。

「**私は何を問題にしてるんだろう？**　そうか、自分がいいか悪いかばかり言っている」

「じゃ、いま、**何が問題なんだろう？**」

「そうか、**ミスはなぜ起こったか？**　みんなはそっちが先に知りたいんだ」


問いが立つ頭なら、瞬時にこれくらい浮かび、さっと気づいて修正できる。

ところが問いが立たない人だと、そもそも自分が何を話しているか（＝どういう問いに基づいて話しているか）に気づくことができない。周囲が聞いてくれないので、「私は、こんなにがんばってやっていたのよ」「上司に言われたとおりこんなに抜けモレなくやったのよ」「私がこんなに言っているのにどうしてみんなわかってくれないの！」と力説することになる。


こういう言葉は、なぜ通じないのか？

これらは、同じ問いから繰り出される答えだからだ。結局一つのことを言っている。無自覚に「自分がいいか悪いか？」という問いを握りしめたまま、答えの方を表現を変えて何度も繰り返しているだけなのだ。聞く方は、自分の求める「問い」からはずれたことを何度も言われ、よけいうんざりしてしまう。

「相手の求める問い」とはずれたところで、どんなに言葉を重ねても話は通じない。

一発で話が通じる人は、相手の求める「問い」を逃さない。「ミスにどう対処するか?」「ミスはなぜ起きたか?」「二度とミスを起こさないためにどうするか?」相手の問題意識に叶った問いを立てて、コミュニケーションできる。

高校生の「命」についての論文でも、最終選考に残る生徒は、例えば、「人と人との関係がどうあれば、自分や他人の命が重いと感じられるのだろうか?」というような、「全編を貫く独自のいい問い」が必ず立っている。本人が心から考えたい「問い」であると同時に、読み手の要求にも叶っている。

文章でも、会話でも、話全体を貫く一つの大きな問い(=問題意識)を「**論点**」と言う。話の舵を取るのは論点だ。

論点(=問い)　私はいいかいけないか?　ミスはなぜ起こったか?

↓　　　　　　　　↓　　　　　　　　↓

意見(=答え)　私は悪くない。　仕事量に大幅な無理があったから。

自分と相手が「論点」を共有していないと、会話はすれ違う。

話が通じないと思うとき、「何を言おうか」「どう言おうか」よりも、「いま、相手はどんな問いに基づいて話しているか？」「自分はどんな問いに基づいて話しているか？」とチェックしてみるといい。

会話や文章から「論点」をつかむ、いいトレーニング方法がある。

問い発見力を鍛える――問いスクラップ

用意するものは、スクラップブック・メンディングテープ・はさみ・ペン。

新聞記事や雑誌、本を読んで琴線に触れた部分などを切り抜いてスクラップしている人もいるだろう。要はそれと同じだが、「問い」に着目するところがポイント。こんな風に。

「シンクロナイズドスイミング」というのをいったん忘れて、「プールでのおふざけ」「超お笑い水上ダンス」とか何でもいいのですけど、このお姉ちゃんたちはプールでただふざけているだけっていう視点で改めて鑑賞したらすごく〈笑える〉んです。

そもそも、スポーツのはじまりは誰かのやった〈遊び〉だ。とすれば、この競技の〈遊び〉の部分を一瞬にして理解した気持ちになって自分もやりたくなる。もし審査項目に〈笑い〉があったなら…。

「プールで踊ってみよう」そのような〈遊び心〉が競技、国際的なスポーツに発展する。この遊びの中で〈笑い〉という感性は生き残れなかったのか。

もしかして選手の中に〈笑い〉を意識した演技もあったかもしれない。審査項目に〈笑い〉があったとしても審査員に〈笑い〉の理解がなく（折り合い）がつかなくてやめていく選手もいるのだろうか。

タナカカツキ「シドニーオリンピック」より

「なぜ笑いは残れなかった？」
面白い問いだ！

1．面白い！と思った記事などを切り抜いて貼る。
2．その面白い考えは、どういう「問い」から出てきたのか、文中に書いてあれば線を引く。
3．文中に「問い」が書かれていなければ、「意見」から逆算して割り出す。

日本語の文章では、問いが書かれていないことの方が多い。「意見」は問いに対する答えだから、逆算すれば問いが割り出せる。例えば次の意見はどんな「問い」から出てきたか？

（意見）私は、岡山までなら飛行機で行きたいと思います。

もうおわかりのように、問いは「岡山までどういう交通手段で行くか？」だ。この要領で、例えば、「本当のことをしゃべるよりも、私はウソをつく方が恥ずかしい。ウソをついているほうが、本当の自分が出るから」（米原万里「言葉の戦争と平和」より要旨抜粋）という意見に目が留まったとしたら、その裏に、「ウソは本心を隠すものと思われているが、本当か？」「本当とウソ、どちらを言うときが、より本当の自分が出るか？」という筆者の問題意識が読み取れる。読んでいて目が留まる意見は、必ず裏に良い「問い」を持っている。意見から問いを割り出す訓練は、難しいけど力がつく。

問い発見の手段――(2)問い100本ノック

用意するものは、いつもの筆記用具(紙とペン、あるいは、パソコンなど)。

やり方はシンプル、テーマについて「問い」を100個つくる。できるまでやる。

とにもかくにも問い100個出せとは、いいかげんに言っているのではない。数は質を凌駕するからだ。例えば、「新人教育をどうするか?」がテーマだとしよう。慣れない人が、「問い」100個を書き出すのは大変だ。それで、

新人は、何を期待されて、当社に採用されたのか?

新人は、何を期待されて、うちの部署に配属されたのか?

新人は、何を期待されて、私のところに配属されたのか?


というように、同じ視点から、目先をちょっと変えただけの問いで数をかせごうとする。これらの問いは、どれも「採用理由」という視点からの問いだ。ところが、この

やり方、せいぜい30個もやると、ネタがつきてしまう。そこから先はどうしても、視点そのものを変えざるをえなくなる。今度は、例えば、

いま自分の担当業務で、新人の力に期待したい部分はどこか？
いま自分の担当業務で、新人にはできない部分はどこか？
いま自分の担当業務の、問題点は何か？

というような、「問い」が立ちはじめる。今度は「担当業務の現状」という視点に移動した。この視点もネタ切れになると次の視点が見つかる。このように無理やり数を出すことは、視野そのものを広げる力がある。苦しいところを過ぎると、次々発見があって問いを立てるのが面白くなるという人も多い。頭もだんだん問いを探すように切り替わり、慣れていく。

それでも、問い100個は骨が折れる。テーマによってはギブアップする人も出てくる。

そんなとき、普段私たちが、いかに限られた問いの幅で、考えたり話したりしているかに気づく。相手と自分、お互い問いの範囲が狭く、共通の問いがないと、なかな

か話は通じない。

一気に問いも出せ、相手との接点も見つかる、うまい視野の広げ方はないものだろうか？

4 どうやって「問い」の視野を広げるか

「問い」というスコップを手にした今、あなたはテーマについて自分の好きに掘っていい。だが、WHENをWHAT、WHYと持ち替えても、どんなに深掘りしても、思考が行き詰まってしまうとき、これはもう、掘るエリアそのものを広げるしかない。

3つの軸で視野を拡大する

次ページの図のような3つの軸でエリアを広げ、問いを立てるのも手だ。

ななめ上へと伸びた線が、過去→現在→未来へとつづく**「時間軸」**。楕円は、身のまわり→日本社会→世界へと広がる**「空間軸」**。そして中央の人型は、自分とは？　人間とは？　を掘り下げる、**「人の軸」**だ。テーマをこの上にのっけて問いを立てて

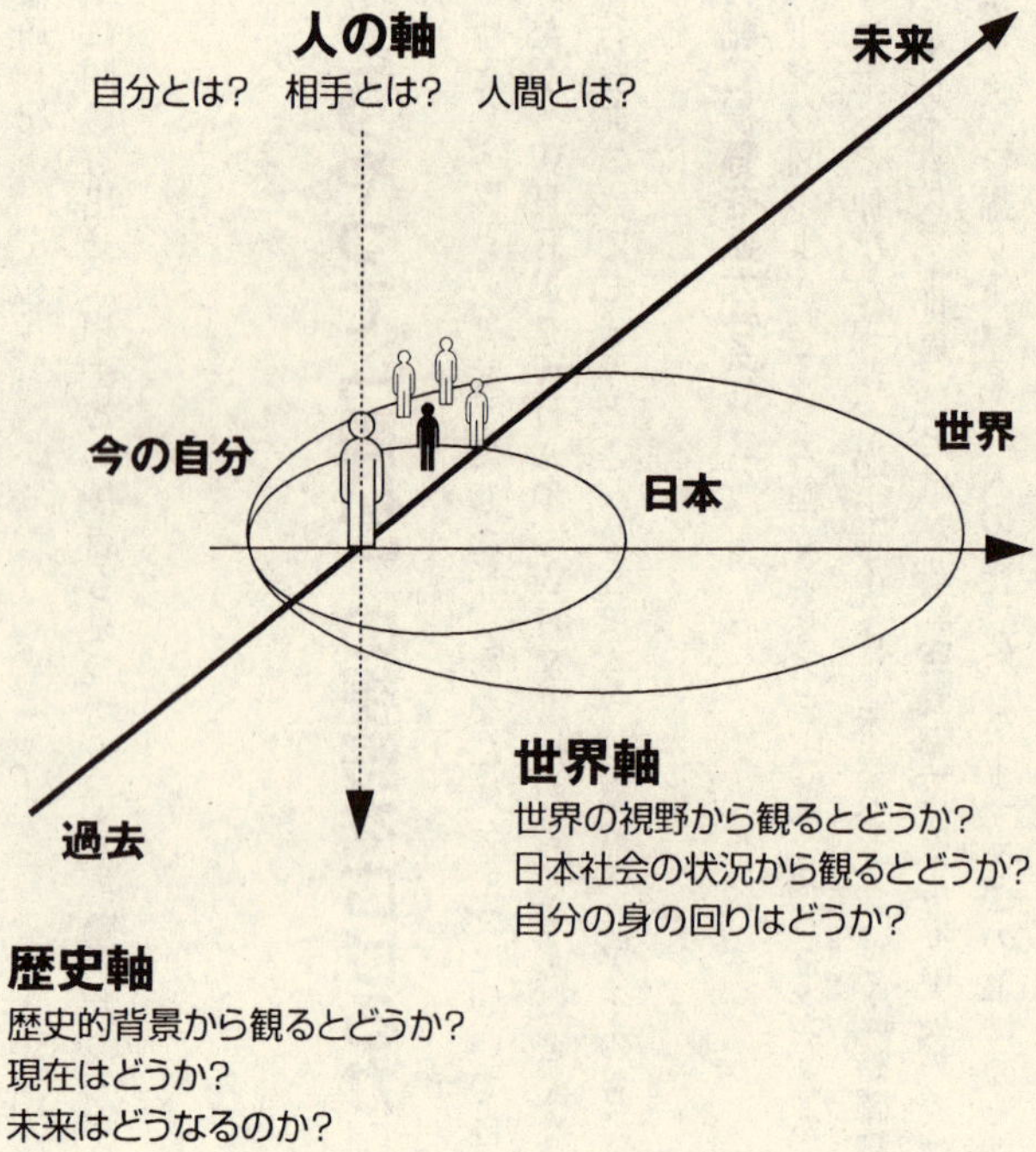
人の軸
自分とは?　相手とは?　人間とは?
未来
今の自分
世界
日本
過去
世界軸
世界の視野から観るとどうか?
日本社会の状況から観るとどうか?
自分の身の回りはどうか?
歴史軸
歴史的背景から観るとどうか?
現在はどうか?
未来はどうなるのか?

みよう。

私は編集者として、高校生の小論文教育に携わってきた。そこでは、環境・文化・国際・科学など、さまざまなテーマを扱う。テーマについてのさまざまな問題意識をどう整理するか、それらをどう高校生にわかりやすく伝えるか、頭を悩ませた。取材で出会った社会学の先生から、この時間と空間の軸を教わった。社会科学をやっている人には、ぜんぜん目新しいものではないし、私の発明でも、もといた編集部の発明でもないのだが、このタテ・ヨコの軸に、テーマにまつわるさまざまな問題意識をのっけて整理してみると、高校生にも説明しやすく、自分も視野を広げるのに重宝した。やがて、タテ・ヨコの軸に整理できないものを、どういう軸にするか、あれこれやったあげく私は「人間とは？」という人の軸に落ち着いた。この3つの軸も完璧ではないが、どんなテーマを考えるときも、あたってみて、決して損はない。

空間軸——身の回りから世界へと土壌を広げて問いかける

視野が狭くなってしまいそうなとき、外に目を向けてみよう。テーマをめぐって、いま社会でどんなことが起こっているのか？　世界はどうなっているか？

先ほどの「新人教育をどうするか？」では、例えばこんな「問い」が立つ。

今、いい動きをしている会社ではどのような新人教育がされているのか？
今、社員教育を巡って社会ではどのような動きがあるか？
日本とアメリカ、そして中国の社員教育はどう違うか？

問いは一気に広がりを見せる。精神の風通しも良くなる感じだ。日常のどんな小さなテーマだってかまわない。堂々と「世界」のまな板にのっけてみよう。いま自分が抱えている個人的な問題は、決して、社会と無関係ではない。その日本社会もいまや世界との関係なしに1分たりともまわらない。その意味で、問題はあなたの中で起こっているとも言えるし、現代世界で起こっているとも言える。同じような問題を抱えた人や、1歩先を行っている人、大きく文化が違う人たちの予想もつかない解決策など、目を上げて世界を見れば、解決の糸口はたくさん見つかりそうだ。身の回り↓自分の住む地域↓日本社会↓そして世界へと、徐々に視野を広げながら「問い」を立ててみよう。

時間軸——歴史を押さえて未来を見る

今度は「時間軸」に目をつけて、過去から現在、そして未来へ続く時の流れに問いを立ててみる。例えば「新人教育」に絡んでこんな問いが立つ。

当社は、過去からどのような経緯をたどって現在、どのような状況か？

1年後、3年後、10年後、実現したい仕事の理想は何か？

自分の入社した頃と、現在と、仕事のあり方はどのように変わったか？

会社にも、あなたの担当業務にも、あなた自身にも歴史がある。今新人を迎えたことも、過去の集積の結果だ。そして、この新人とのあり方が未来に影響する。実現したい目標に近づける形であってほしい。

時間軸で心がけることは、「流れ」「変化」に問題意識を向けることだ。歴史、といっても何年何月に何があったという断片の事柄ではない。過去から現在、会社が一番変わったのはどういう点か？　社会の中での役割はどう変わったか？　これから将来に向け何を目指しているか？　というようにざっくりと大きな流れを見よう。

どんな問題を考えるにしても、欠かせないのは「歴史」だ。例えば、いま目の前で、男性が女性に襲いかかっている。あなたはどうするだろうか？

反射的にあなたは女性を助け、逃がしてあげたとして。ところが、女性はストーカーで、過去十何年にわたって男性に執拗な嫌がらせをつづけ、彼の妻は心労から入院。そしてとうとう今日、女性は、彼の愛する息子にカッターナイフで切りかかった。怒った男性が警察に突き出そうと、やっと女性をつかまえたところだったらどうだろうか？

日常の事件にも、ちょっとした出来事にも歴史があり、歴史を知らなければ、私たちは問題を論じることができない。なのに、芸能人の離婚問題から、国際問題まで、歴史背景を知らないでものを言う人が多いのはなぜだろう。

国際問題を語るには、国と国の歴史を知るといいし、息子の進学問題には、いままで生きてきた息子の歴史をたどるとヒントが出てくる。

「歴史背景から見るとどうか？」に目を向けると、問題解決につながる、いい問いがたくさん出る。過去からたどって、今の位置を知り、そこから1年先、3年先、30年先どうなっていたいかと未来を見る。このように時間軸を移動しながら「問い」を立ててみよう。

人の軸——人を軸にして問題を見てみると？

3つ目の軸として、人間に注目してみよう。自分とは？　相手のAさんとは？　そして人間とは？　という視点で問いを立ててみる。「新人教育」では、例えば、

自分が新人だったとき、先輩から受けた教育で一番心に残っているのは何だろう？

新人の太郎さんは、どのような人なのだろう？

人は、どのような説明を受けると、やる気が出るのだろうか？

人事でも、「会社の状況がこうだから」と、外側から決めていく場合と、「この人だから」と、人を軸に決めていく場合がある。「太郎さんは、人あたりがよくて勧め上手、事務より接客の方がいいのでは？」というふうに。ある問題を考えるとき、関わっている人の資質を掘り下げていくことで突破口がつかめる。

中でも重要なのが、**「自分」**という軸を掘り下げていくことだ。自分とは、いったいどういう人間か？　何を良しとし、何を嫌い、どんな能力を持ち、どんなときに幸せを感じるか？

例えば、「24時間以内にやりたいこと」の答えを出すにも、はたからは何でも言える。「遊びより仕事のことを優先させるべきだ」とか、「やるべきことより、やりたい

ことを優先したほうがいい」とか。でも、はたから何を言われても、自分自身が選択に納得がいかなければ、それは、「やりたいこと」ではない。自分の答えを出すには、自分を掘り下げていくことだ。

人を軸にして問題を見るとどうか？ 関わっている人の性質は？ 人間の本質は？ そして何より、「自分とは？」。自分の経験や実感に照らすと、問いも立ちやすいはずだ。

以上のような3つの軸で視野を広げることで、問い100個も無理ではなくなる。「問い」が立っただけ、それだけでも、随分視野が広くなった気になる。わからないことは本・記事・インターネット検索、取材などして調べてみよう。

そこでもう一度、「新人教育をどうするか？」と自分に問うてみると、方針のひとつくらい出てきそうだ。

大小さまざまな問いを発見しよう

時間軸・空間軸・人の軸と3つを掛け合わせると「歴史の流れの中でいまはどんな時代か？ 世界の中で日本はどんな社会か？ 人間とはどういう存在か？ これから未来に向けてどう生きていったらいいか？」という巨大な問題意識になる。大きすぎる問いだが、ときどきこのくらい視野を広げてみてもいい。やや小さめな問いをつくると「自分はどのような経緯を経て現在にいたるか？　自分の仕事を巡っていま社会はどんな状況か？　自分にはどんないいところがあるか？　未来に向けてどうしたいか？」例えば、そんな問いが立つ。

こんな風に、時間、空間を移動しながら、大小さまざまにサイズも変えて問いが立てられるのは、とても自由なことだ。

こうして広い視野から立てられた問題意識は、他人と共有できる普遍性に富んでいる。新人は「先輩からいかに早くプロの技を教わるか？」、先輩は「新人にいかに従順に下働きをするよう仕込むか？」と接点がない2人にも、通じ合う余地を生む。例えば、「会社はいまどんな状況か？」という問い、「その背景は？」「今年の仕事の目標をどこに置くか？」という問いは、先輩後輩にかかわらず、社員すべてを直撃する問いだ。見解は違っても、問いは共有できる。いったん、こうした共通の問いに目を向け、そこからもう一度、目の前の新人教育について話してみよう。先輩は新人に、先輩たちのサポートにまわってもらう「理由」を、会社の置かれた状況や目標から説得力をもって説明していけるかもしれない。あるいは、若い感性が生かされている他社の先進事例から、新人をもっと積極的に戦力にしたいと、先輩の「意見」そのものが変わってくるかもしれない。

通じ合う論点を見つけることも、両者が納得できる理由を引いてくることも、社会背景・歴史・将来といった共通の土俵から問いが立っていればこそ柔軟にできる。問いを発見しよう。あなたが抱く問いには、かけがえのない価値がある。

5 筋道立てて話し・聞き・人とつながる技術

「最近、論理、論理、論理とうるさい」、「会社で論理の研修を受けたが、どうも論理的思考が肌に合わない」と訴える人がいる。でも安心してほしい。

論理なんか恐くない

大学入試で、企業で、今、論理的思考力が求められるのは、その前提に、ちゃんと「自分の頭でものを考える力」を持った人材が欲しいというねらいがある。確かに、まだまだ古い体質は社会に残る。それでも、言われたことだけやる人ではなく、ちゃんと自分の頭で考えて問題解決していける人がいなければ、社会が立ち行かなくなっできているのは否定できないだろう。求められているのは「考える力」で、その一環として論理的思考力がある。

「考える力」の基礎力は3つある、**問題発見力、多角的考察力、論理的思考力**だ。というとなんだかすごそうだが、ひらたく言うと、問いが立つ、いろんな方面から立つ、そして問いを筋道立てて配列できるということだ。

「問題発見力」とは、文字通り「問い」を発見する力だ。「おや？　なぜ？」と問いが立ち、「いま何が問題か？」、解決につながる良い問いを発見する力のことだ。ミステリーで名探偵は首ばかりひねっている。「おや？　おかしいですね、犯人はどうして靴を脱がなかったんでしょう？」「こんな薄い壁なのに、隣りの人はどうして、被害者の叫びを聞いていないんでしょう？」あんな感じだ。しかも一見どうでもいいような疑問ばかり。ところが、それを調べていくうちに、謎が謎を呼び、事件の核心に迫る問いに行き当たり、見事難問を解決する。一方、石頭の警部は最初から「わかった！　犯人は」と正解を急ぐ。問いが働かない代わりに憶測、先入観、決めつけが働き迷走する。名探偵のように「問い」を見つける力は、すでに本書で触れた方法で鍛えていけばいい、大丈夫だ。

「多角的考察力」とは、さまざまな角度から問いが立てられることだ。これも、すでにやったように時間、空間、エリアを広げ、視点を移動しながら問いを立てれば大丈夫だ。暗記勉強も大切なのは、考えの振り幅に影響するからだ。これから、自分なりに勉強をしたり、見聞を広めたり、仕事で経験を積んだりすれば、問いを立てるエリアはますます広がり、さらに多様な角度から問いが立つようになる。これも大丈夫。

「論理的思考力」とは、問いと問いを筋道立てて配列する力のことだ。いったん立て散らかした問いは、どこかで整理し、「過去→現在→未来」、あるいは「問題点→原因→解決方法」など、方向性をもって、筋道立てて配列することが必要だ。そうやって考えることで問題解決に近づけるし、人に対しても説得力ある説明ができるのだ。

問いの論理的な配列は、次の具体的なコミュニケーション技術の中でつかんでいこう。

前提が通じない相手に

前提が通用しない相手に、どう橋を架けていったらいいのだろう?

例えば、遅刻したアルバイトに注意をして、それが素直に聞き入れられるのは、「時間を守るのは人としてあたりまえだ」という前提が共有されているからだ。

ところが、こんな遅刻の常習者だったらどうだろう? 「友人との待ち合わせは、いつも携帯で連絡を取りながらルーズに会うから遅刻という概念がない。大学の講義は遅れて行ってもまったく怒られない。バイト先では、そりゃあ注意はされるけど、何度遅刻したって、実際なにも問題は起こってない。時間を守るのはあたりまえ？　そうなんだろうがピンとこない」

こういう相手に、「人としてあたりまえ」を押し付けても通じない。相手は、あたりまえのようにいつも少し時間に遅れ、あたりまえのように何も起きてないと思っている。どうすればわかってもらえるのか？

以前、同僚もアルバイトの学生の遅刻に悩んでいた。やはり、この前提を何度、きつく言い含めても通じない。ある日、いつものように遅れたバイトさんに、同僚は注意ではなく、

「ねえ、なんで時間どおりに来るんだと思う？」

と聞いたそうだ。バイトさんは虚をつかれた。そこで彼女は、「相手の時間を大切にしてあげられるでしょ」と言った。これは、この人の場合、効いたそうだ。

「うちのバイトはそれじゃ効かない」と思う人も、このコミュニケーション構造は、応用できるのではないか。「問い」の共有にはじまり、相手になぜを考えさせ、自分

もなぜを考える。その後で、自分の思う「なぜなら」を投げかけてみる。

あるいは、「なぜ、時間どおりに来るか？」という問題意識を、しっかりと相手の中に起こすところまでできれば、あとは相手に考えさせてしまってもよいのかもしれない。

「時間を守るのは人としてあたりまえ」、これは結論だ。いきなり結論で通じ合うには、ある程度の共通項が必要だ。共通の背景、共通の価値観、共通のビジョン。背景、共有できない、価値観、共有できない、ビジョン、共有できない。そういう相手でも、

「問い」なら通じ合える。

私自身、新人に、「私が編集を十何年やってきてこそわかる、読者というものはこうである」と結論をぶつけても、ギャップがありすぎてポカンとされた。

しかし、「ねえ、今月のテーマの〈時間〉についてなんだけど、読者の高校生は時間についてどんなふうに思ってるのかなあ？　例えば高校生が大好きな歌の歌詞とか、繰り返して読むまんがとかに、〈時間〉ってどういうふうに出てくるんだろう？」と問いかけると、新人は、「それ、知りたいですねえ！」と、あっという間に、情報を

かき集めてきてくれた。私たちは、集めてきた資料を一緒に検討していくことで、現実を共有し、過程を共有し、やっと最後に結論を共有できた。

「これはこうだ」と結論で通じ合えなくても、「これはどうなんだろう？」なら通じ合える。魅力ある「問い」があれば相手を巻き込める。

私は、以前、ある法務教官から、少年院の作文指導についておうかがいしたことがある。罪を犯した少年にどう反省を促すか。そこには、やはり大小さまざまな問いが用意されていた。罪を犯したとき、自分の状況はどうだったか？　家族の状況はどうだったか？　相手の様子はどうだったか？　いくつもいくつも問いかけをし、少年自身に作文を書かせることで、やがて少年たちは、自分がやったことに自分で気づき、自分で反省する。

私は、企業で小論文担当になったとき、課長に、「小論文とは何か？」を考えてほしいと言われた。当時の自分には大きすぎる問いだったが、私は、ずっとこの「問い」を胸に抱き、10年後に結実した。いまも、この課長のことを忘れない。

はじまりは「問い」だった。

論理的に聞く

論理でコミュニケーションするとは、要は「意見となぜ」だ。これは、人の話を聞くときもまったく同じ、「意見となぜ」で聞けばいい。

・相手がいちばん言いたいことは何か？（意見）

・相手は、何を根拠に、あるいはどんな理由で、そういっているか？（なぜ）

長い話でも、最低この2つが聞き取れればコミュニケーションができる。

まず、「相手がほんとうに言いたいことは何か」、思い込みを排し、最後まで相手の話をよく聞く。最初は、瑣末なところに反応しないこと。言葉尻や、気になる部分があっても、ラストまで一気に相手に話させる。細かい部分に突っ込むと、相手が全体として言わんとするところを見失うからだ。

一気に聞き終わった時点で、「相手がいちばん言いたいこと」を確認しよう。わかりづらい場合は、失礼にならないように、「いちばんおっしゃりたいことは？」と聞いてもいいし、聞き取った話の中で、重要そうな候補のいくつかを復唱して、「より強くおっしゃりたいのはどれですか」と、その中でいちばん言いたいことを選んでもらう形でもいい。「要するに、あなたがいちばんおっしゃりたいのは、……ということですね。」と、意見を共有しておく。

「意見」がつかめたら、その理由を押さえよう。相手の話の中にこれがなければ、必ず「なぜ、そうお思いですか？」と聞く。「なぜ」が聞き取れた時点で、「要するに、あなたがいちばんおっしゃりたいのは、……ということですね。その理由は、……だからですね。」と確認しておくと確実だ。根拠がないなら「ない」ということをお互い確認しておく。

少なくとも相手の「意見となぜ」がつかめるまでは、意見をいったり、反論したりはできないと心得よう。

あとは、相手の意見をどう思うか、根拠に納得するか、を検討していき、その問題に対する、自分側の「意見となぜ」を打ち出せば、最低限の論理的なコミュニケーションになる。

「意見となぜ」で、やりとりしても、話がかみ合わない場合、相手がとりあげた「問い」をチェックするといい。

例えば、「お話をうかがっていると、あなたは、『この商品をどう売るか？』という問題意識でずっとお話しされているようです。しかし、私は、その前に、『これは売れる商品かどうか？』を話し合ってみる必要があると考えます。いかがでしょうか？先にそのお話をしませんか？」というようにだ。つまり、

・相手は、どういう「問い」に基づいて話をしているか？　**（問い）**
・相手の問いは、問題解決に結びつく有効な問いか？　**（問いの質）**
・先に検討しておかなければいけない「問い」はないか？　**（問いの位置）**

を確認することだ。ふだんから「問いスクラップ」などで意見から問いを割り出すことや、問いを論理的に配列することを楽しんでやっていくと、こうしたコミュニケーション中の問いの修正が臨機応変にできるようになる。

論理的に話す

あらかじめ**「問い」を共有したうえで、「意見となぜ」で話す。**ここでは、非論理的な「感治課長」と、論理的な「理子《りこ》さん」の対比で説明していこう。

ここは、旅行会社㈱リメインツーリストの企画課で、いつもユニークな旅行企画を立てていた吉沢さんが退社することになった。吉沢さんへの送別のコメントが求められた。

［感治課長のコメント］

「えー、ほんとうに熱心に仕事をされておられ、非常に期待されていたので、やめられるとうかがって、ほんとうにざんねんです。ほんとう仕事熱心な方で、やるとなったらとことんやる。うまくいかなくても、いつも毅然と、ビシッとしてやって、そうかと思うと、女性としてもなかなか、かわいらしいところがあるんですよね。いまどき、こういう女性は、なかなかいないとされてますが、これから第二の人生をぜひ、とことんがんばってください」

［理子さんのコメント］

「吉沢さんの一番優れている点は何か。私は発想力だと思います。なぜかというと、吉沢さんが、あえてお客さんに苦労させるような旅行企画を立てたからです。普通お客さんに少しでもラクをさせるよう企画しますよね。でも吉沢さんは、苦労して得たものにこそ人は価値を感じるのだと、あえてお客さんに自然の中を歩かせたり、夕食の野菜を畑に採りに行かせたり。結果は大好評でした。こういう逆転の発想をしたのは歴代、吉沢さん一人です」

両者を「いい、悪い」で比べないでほしい。あとで話すが必ずしも論理がいいとは限らないからだ。論理で話す場合、例えばどちらが「感じのいい話」をしたかは問題ではない。どちらが「意味のある話」をしたかだ。

宴会、会議などで、「手短に」とコメントが求められたとき、長さは、時間にして30秒、字数にして200字くらいが適当だ。1分を超えると聞き手が長いと感じる。感治課長も理子さんも、約30秒のコメントになっている。30秒で意味のある話をするためには、決めて、決めて、決めたおさないといけない。論理的に話すコツは、要するに「決め」だ。

「決め」が論理を育てる

十人十色のものの見方がある中で、自分が話す意味、他の人が聞く意味がある話をするためには、自分なりの「決め」がいる。つまり、「私は、吉沢さんという人物をこう観た」「私は、吉沢さんの仕事をこう評価した」ということを、自分で考えて、決めて、打ち出す。その「決め」が適確で、かつ個性的であるほど、聞く人は意味を感じる。

逆を考えるとよくわかる。その人なりの「決め」がない話とは例えば、「まあ、みなさんがよく言われることですが、吉沢さんは仕事熱心だと。また、だれもが口をそろえて言うように女性としてもかわいらしいと。そのとおりではないかなと思うんですが、ちがいますか？」というようなものだ。

みんな言っている、ああも言えるしこうも言える。でもそんな話、わざわざ自分が言う意味あるの？　人が聞く意味あるの？　感治課長の話も、意味が薄いと感じる人は多いはずだ。

一方、理子さんは、「吉沢さんの一番の長所は発想力だ」と独自の「決め」を打ち出している。これが適確なら、聞く人に吉沢さんの存在を再認識させる意味がある。吉沢さんも、「自分の存在意義が感治課長のコメントよりずっと伝わってくる」と歓ぶだろう。

ところが、「決め」が的外れなものだったら、当然、吉沢さんもまわりも反発する。やっかいなのは、たとえ適確であっても、人によって、「いや、僕は吉沢さんの発想力が必ずしも優れているとは思わない」とか、「吉沢さんは発想力というより行動力の人だろう」という異論や反論が出てくる可能性があることだ。

自分の「決め」を打ち出すことには、つねに反発のリスクが伴う。自分のまわりの空気を想像してみてほしい。そこには一般論とか、いろんな人のいろんな見方がひしめいている。「決め」を打ち出すとは、その空気を、独自の問いで角度をつけて切り取ることだ。当然、自分が切り取れるものより、残りの空気の方が大きい。そこから、賞賛されるのか、反発をくらうのか、切り取って打ち出してみなければわからない。

一方、何一つ決めないとは、何の角度もつけず、何も切り落とさず、ただふわふわと綿菓子をもつように一般論の空気をやさしく手に包んでトスするようなものだ。だから、感治課長の話には、あまり意味を感じないかわりに、だれも反発をしないはずだ。

「決め」がないほど、話は意味がなく、そして、あたりさわりのないものになる。一方、自分なりの「決め」を打ち出せば打ち出すほど、その話は、意味を持つ可能性と、あたりさわりが出てくる可能性の両方が出てくる。

特に人々が、意味よりも「一体感」を求めているような場では、論理は歓迎されない。

例えば、飲み会などで、意味のない話で和んでいるようなとき。「吉沢さんってかわいいよね」、「うんうん」「そうだね」「だよね」。「吉沢さんがんばったよね」、「うんうん」「そうだね」「だよね」。「空が青いよね」、「うんうん」「そうだね」「だよね」。

みんなが求めているのは、意味でなく「うんうん」の方だ。綿菓子をふわふわとトスしあうように無難な話をだれからともなく繰り出しながら、あなたも私もあちらの方も、みんな「うんうん」で一体感に浸る。

そういう空気を読めないで、論理を振りかざすと、せっかくトスしていた綿菓子を角度をもって切り裂き、突きつけることになる。個人個人の考えの差を際立たせてしまい、せっかくの一体感がそがれてしまう。場にできている一体感をこわされるのを人は嫌う。論理が必ずしもいいとは限らないというのは、ひとつにはこういうことだ。

それでも、意味のあるコミュニケーションをしなければならないときがある。仕事で、日々の問題解決で、知的生産の場で。そのためには、反発のリスクをとっても、自分の判断を打ち出さなければならない。では、どうしようか？

うまくできているもので、リスクを負って決めるからこそ、自分の判断が正しいか考え抜き、周到に根拠を用意し、他者を説得しようと努力するようになる。自分なりの「決め」を打ち出す習慣をつければ、自ずと論理力はついてくるのだ。まずは、「ああもいい、こうもいい」から脱却し、「自分はこう考える」を打ち出すことから始めよう。問いを立てる、考える、わからないことは調べる、を地道にやっていけば、恐れることはない。

理子さんは、わずか30秒のコメントに、数々の「決め」をしている。一方、感治課長は、思いつくままほとんど何も決めずに話している。まず、両者の構造をみてみよう。

［感治課長の構造］

「えー、ほんとうに熱心に仕事をされておられ、非常に期待されていたので（根拠1）、やめられるとうかがって、ほんとうにざんねんです（意見1）。ほんとう仕事熱心な方で（意見2）、やるとなったらとことんやる。うまくいかなくても、いつも毅然と、ビシッとしてやって（根拠2）、そうかと思うと、女性としてもなかなか、かわいらしいところがあるんですよね（意見3）。いまどき、こういう女性は、なかなかいないとされてますが（役割不明）、これから第二の人生をぜひ、とことんがんばってください（意見3）」

感治課長の場合、「問い」を意識せず、おもいつくまま話しているが、無理やり割り出すと次のような構造になる。

問1　退社を聞いて自分の気持ちは？↓残念だ。↓（なぜ）熱心で期待されていたから。

問2　吉沢さんの仕事ぶりは？↓熱心だ。↓（なぜ）とことん毅然とやっていたから。

問3　吉沢さんの人となりは？↓かわいい。↓（なぜ）なし。
問4　自分が吉沢さんに言いたいことは？↓がんばってほしい。↓（なぜ）なし。

［理子さんの構造］
「吉沢さんの一番優れている点は何か（論点）。私は発想力だと思います（意見）。なぜかというと、吉沢さんが、あえてお客さんに苦労させるような旅行企画を立てたからです。普通お客さんに少しでもラクをさせるよう企画しますよね。でも吉沢さんは、苦労して得たものにこそ人は価値を感じるのだと、あえてお客さんに自然の中を歩かせたり、夕食の野菜を畑に採りに行かせたり。結果は大好評でした。こういう逆転の発想をしたのは歴代、吉沢さん一人です（根拠）」

問い　吉沢さんの一番優れている点は何か？
　　←（その答えは？）
意見　発想力だ。
　　←（なぜそう言えるか？）
なぜ　逆転の発想で企画を立て↓成果をあげた↓そのような発想は歴代一人である

理子さんは、「問い」を明らかにした上で、「意見となぜ」で話している。

あらかじめ「吉沢さんの一番優れている点は何か」と、聞き手と問いを共有している。だから聞き手は、「吉沢さんの長所について話してくれるのだな」とすぐわかり、「それは何だろう?」と興味もわく。聞く人に親切、かつ、聞く人を引き込む導入だ。

そして、次に「発想力だ」といきなり結論を持ってきている。理由を言って最後に結論でもいいのになぜだろう。先に意見を言ってしまうのは、あわただしい場で手短にコメントを求められたときに、いい方法だ。なぜなら、途中でコメントを切り上げられても、一番言いたいことを切られる心配がない。

あとは、制限時間30秒いっぱいまで、「なぜ」を説明すればいい。聞き手の反応を見て「なるほど」と頷けば、そこがゴールだ。

こうした聞く側に親切な話をするために、理子さんの方では、頭を高速回転させながら「決め」をしていっている。

決め1　論点を決める

30秒で意味ある話をするには、話題は1つ、つまり、扱える「問い」はせいぜい1

つ分だ。理子さんは、問いの数を1つと決め、一貫して「吉沢さんの一番優れている点は何か?」という1つの問いに基づいて話している。話全体を貫く幹のような問いを「論点」という。

一方、感治課長の話には、論点がない。細かい問いはいくつか抱えているものの、話全体を貫く問いがない。だから何の話かわかりにくい。

論点を1つに絞り込んで話すのに比べ、何も決めず話しはじめると、話はあっちへ飛びこっちへ移り、一見自由な感じがする。ところが、実はあっちの問い、こっちの問いと引っ越しを繰り返しているだけ。結局は抱え込む「問い」の数を増やしてしまう。感治課長もたった30秒の話に4つもの問いを抱えてしまった。

「問い」の数が多くなるとどうなるか? 問いの数だけ、意見が必要になる。問いの数だけ根拠が必要になる。問いと問いの関係づけも複雑になる。

極端に言えば、問いを10個抱えれば、問い1つで話す人の、10倍以上の作業が必要になる。大変すぎて、何をどう考えていくか、どう収拾するか、わからなくなってしまい、

「とにかくがんばってください」

とどうでもいいようなオチで放り出すか、10個すべてに意見が言えても、当然1つ1

つの考察はうすく、根拠も薄い。意味が薄い話をする人の多くがこの図式になっている。話す前に、自分が向かうべき「問い」は何か？　論点を1つに絞ってはっきりさせよう。

「1つに絞ったら視野が狭くなる。ぼくは、幅ひろく考えたいんだ」という人がいるかもしれない。でも、「幅ひろく考える」って何だろう？　より意味のある意見を打ち出すために、1つの問題をいろんな角度から観ることだ。幹になる問い（＝**論点**）が1つ定まるからこそ、その問題を、歴史や社会やいろんな角度から、幅ひろく考えていけるのだ。

それでは論点を決めよう。吉沢さんの何について話すのか？　仕事ぶりなのか？　性格なのか？　成果なのか？

「吉沢さんについて」というような大きな問いではブレるので、扱えるサイズの具体的な問いにすることを理子さんは知っていた。理子さんは、頭の中で問いの候補をいくつか挙げた。「吉沢さんとの一番印象的な思い出は？」「吉沢さんが仕事で最も力を入れていたことは？」「吉沢さんの最大の成果は？」というふうに。さてここから、1つ問いを選ぶ。どういう基準で選べばいいのだろうか？

論点を選ぶ3つの基準

1　あなたが心から話したい問いか？

2　時間内に自分の力量（知識・経験など）で扱いきれる問いか？

3　要求に叶った問いか？

一番大事なのは、あなたが心から話したいことを選ぶことだ。自分でも面白い、あるいは切実で話さずにはおれない、つまり、**動機がしっかりした問いを選ぶ。**人前だから、つい立派なことを言おうとする人がいるが、それは自分が話したいことか？自分にしか話せないことか？　人前で話すのは、頭も使うし勇気もいる。あやふやな動機ではもたないし、何より話す本人がつまらない。本当に話したいことを言うとき、人は輝きが違う。

第2の基準は、制限時間の中で、自分の力で扱いきれるかだ。30秒で話さなければならないときと、10分あるときと、1時間かけられるときで、選ぶ「問い」は違ってくる。1時間あれば、難しい複雑な問いを扱っても、具体例や根拠をしっかり示せるのだ。また、面白い問いでも、自分の知識や経験が追いつかないものは話せない。手持ちの知識で30秒以内に扱いきれる問題だろうか？　かといって無難な問いに収めすぎてもつまらない。制限時間、自分の力に見合ったトライをしたいものだ。

問いを選ぶ第3の基準は、要求に叶った問いかどうか。この場合なら、

去っていく吉沢さんが聞いて嬉しい問いか?

聞く人にとっても価値がある問いか?

場にふさわしい問いか?

いくら面白く自分で扱えそうな問いでも、「吉沢さんの欠点は?」だと、どう転んでも吉沢さんにとって嬉しい話題にはならない。結婚式のスピーチでネガティブな問いも困るだろう。

仕事で話をするなら、問題解決に有効か? 考える価値のある問いか? 依頼者(自分に話をしてくれと頼んだ人物)のねらいに叶った問いか? などを考えてみるといい。

以上3つの基準から、あなたが選び取った1つの問いが、話の**「論点」**になる。この「問い」に対して自分が出した答えが、「意見」だ。

決め2　自分の意見を打ち出す

「吉沢さんの一番優れている点は何か？」という、正解がない問いに自分で「答え」を打ち出すのだから、一番の「決め」どころだ。

理子さん、ここでも潔く「発想力」1つに決めて打ち出している。30秒では、「発想力もいいし、行動力もあり、他にも……」というような打ち出し方では、一つ一つの根拠が薄く、説得力がなくなるからだ。少し長めのスピーチや書きものなら、「吉沢さんの優れている点、それは3つあります。発想力、行動力、持久力です」という意見の打ち出し方でも成り立つ。要するに、時間・字数の制限が、扱う「問い」や「意見」の数を制限するのだ。また、「吉沢さんは頭がいい」というようなぼやけた言い方でなく「発想力」と定義したのもいい。キーワード「発想力」「逆転の発想」がうまく使われている。

一方、感治課長は、「仕事熱心」とだれもが思いつきそうな意見で、オリジナルの決めをしていない。

決め3　根拠を決める

なぜ、吉沢さんの発想力が優れていると言えるか？　どんな根拠を用意し、どんな筋道で説明するか。意見がオリジナルのものであればあるほど、聞き手を説得できる客観的な証拠が必要になってくる。理子さんは、「あの発想も、この発想もよかった」と、根拠となる具体例を列挙する道を選ばないで、1つの事例に決めて、それを筋道立てて説明していく道を選んでいる。その「筋道」とは次だ。

理子さんの根拠の配列「なぜ、吉沢さんは発想力が優れていると言えるか？」

どんな具体的事実から言えるか？ → 吉沢さんが逆転の発想で立てた旅行企画から。
↓
その企画の評価はどうだったか？ → 大好評だった。
↓
そういう発想は吉沢さんだけか？ → 歴代で、吉沢さん一人である。
↓
　ゆえに、吉沢さんは発想力が優れている。

理子さんは、具体例や「歴代の企画担当」という時間軸もちょっと効かせて根拠を用意している。一方、感治課長は、根拠を示して証明するという意識がほとんどないし、無難な意見だから必要もない。

決め4　話の構成を決める

最終的なアウトプットの段階で、理子さんは、「問い↓意見↓なぜ」という構成を決めて話し始めた。感治課長の方は、論理構成がない。そのため何の脈絡もなく「単に話題が変わっただけ」で話をつないでいる。だから、いかに流暢に話しても一文一文が、ぽき、ぽき、と途切れた印象だ。一方、理子さんの方は、「問い」があって、答えが知りたくて引き込まれ、「答え」を知ったら、「なぜ」と知りたくて引き込まれるので、話し方がたどたどしくても、聞く側は途切れた印象がなく、流れを感じる。

1つ決めるとは、他を捨てることだ。理子さんの論旨が明快なのは、短い時間の中に、決めて決めて決めたおし、同時に、捨てて捨てて捨てまくっているからだ。しかも、問い、意見、根拠の決めは、連鎖的に、ほぼ同時に頭の中で行われている。

決めずに話す方がずっとラクなのに、なぜ苦労して決めるのか？

制限の中で、人となんとか意味を共有するところまでいきたいからだ。吉沢さんの会社最後の日、どこにでもいそうな社員として、ではなく、他がまねできない個性をもち、組織やお客さんに貢献した仕事人として、共通認識のもとに送り出す、そういう「意味」を出すためだ。

それには論理構成がいる。根拠ばかり並べてあって意見が無くては困るし、意見が3つも4つもあって理由がなくては困る。一文一文が、他の文とは違う機能をもって働きあわなければならない。そのために、よく働いてくれるものを選び、余分なものを捨て、構造を組む。少しやればだれでもこれができるようになる。

さて、あと細かい点でいくつか、論理的に話す技術を挙げておこう。

修飾語禁止令？

感治課長は、「とことん」「なかなか」「びしっと」「毅然と」「熱心に」とたくさんの修飾語を使っている。一方、理子さんは、形容詞、形容動詞、擬音語、擬態語などの修飾語を、まったくといっていいほど使っていない。

「毅然と」というような情緒的な表現や、「とことん」などの感覚的な言葉は、うまくいけば、ものごとを全体的に、微妙なニュアンスまで振り落とさず伝え合うことができる。「綿菓子をトス」しあっているようなものだ。反面、ちょっと困ったこともある。

感治課長のコメントを聞いていて、カナダからの帰国子女の論田くんが、もやもやした。

「あの、感治課長、トコトン……って、どういうことですか？」

感治課長は、論田くんに身ぶりをつけて、「とことんと言えばとことんさ。この感じ、なあ、わかるだろう」と。ところが、論田くん、ますますもやもやして、「トコトンって、吉沢さん、何を、どうしましたか？」そこへ理子さんが通りかかった。

「ほら、去年の全員営業で、ノルマが達成できてみんな帰ろうとしたときがあったでしょ。あのとき吉沢さん、『まだ時間はある。注文は取り尽くす』と営業を続け、さらに10件獲得した。あんなふうに、自分の理想を実現するまでやり抜く様子が、とことん、だと思うわ」

感覚的な言葉で通じ合うには、共通の感覚がいる。例えば、戦中戦後を生き抜いてきた人の「とことん」と、新卒社員の「とことん」は同じだろうか？ 10年の努力を「とことん」と言う人もいれば、途中で止めなかったら何でも「とことんやった」と言う人もいる。

感覚で通じ合えないときは、修飾語禁止で話してみることだ。修飾語に頼ると、どうしても事実関係が甘くなる。感治課長が、「とことん」の4文字ですませようとしたコミュニケーションに、理子さんは約120字の字数をさいている。修飾語に頼らず、「いつ？　だれが？　何を？　どうした？」で伝える。これなら、背景が違う人にも、どんな人にもブレがない。

論理は冷たいと思われがちだが、感覚的な言葉を使ったって、聞き手をおいてきぼりにすれば冷たいものになるし、万人にわかるよう言葉を尽くせば、論理だって人に温かい。

いつも部下に「毅然と対処する」と公言している上司の方、あとから部下たちに「私たちの思っていた〝毅然〟とは違う」と突き上げられぬよう、ご注意を。「今日から、ビシッとやります」と言った新入社員の方、その「ビシッ」はどういうことか、修飾語を用いず、「いつ、だれが、何を、どうする」で説明してみよう。

決め5　人を決め、時間を決め、お金を決める

感治課長の文章には主語がない。もう一度コメントを見よう。それぞれ主語は何だろう。

「えー、ほんとうに熱心に仕事をされておられ、非常に期待されていたので、やめられるとうかがって、ほんとうにざんねんです。ほんとう仕事熱心な方で、やるとなったらとことんやる。うまくいかなくても、いつも毅然と、ビシッとしてやって、そうかと思うと、女性としてもなかなか、かわいらしいところがあるんですよね。いまどき、こういう女性は、なかなかいないとされてますが、これから第二の人生をぜひ、とことんがんばってください」

「ほんとうに熱心に仕事をされておられ」たのは「吉沢さん」。「ほんとうにざんねん」なのは「僕」。主語がなくてもわかるといえばわかる。だが、あやしいのは、この2つの主語だ。

非常に期待されていたので、　↓　だれが期待してたの？

いまどき、こういう女性は、なかなかいないとされてますが、　↓　だれが言ってたの？

主語を省略して話すくせをつけていると、この「期待される」「いないとされる」のような主語のあやしい受動態が出現する。**主語が曖昧というのは、責任の主体が曖昧、**

ということだ。送別の挨拶ならいいのだが、例えば、会社でミスを起こしたとき、

「通常、点検は2人体制とされています。それが実行されなかったため、起こったミスと見られます」

と話すと、「おいおい、責任の主体はだれなんだ」ということになる。主語を入れると、

「土木2班の私たちは、点検は2人体制というルールを決めています。それを守らず、私は1人で点検をし、また点検も甘かったので、ミスを起こしてしまいました」

となる。**主語を入れる。**それもできるだけ**「人」**を主語にして話してみよう。これは、行為や責任の主体をあきらかにすることだ。聞く人にもブレなく、伝わりやすい。「吉沢さんは」「私は」のように、できるだけ具体的な人物を主語にするとわかりやすい。また、「みんなは」「世間の人は」などの主語をつかうときは、「みんなは」なのか、自分も含めた「私たちは」なのか、よく見極めて使おう。

さらに、「私たちは」と「私は」もよく見極めて使おう。「私たちは」というからには、自分以外の大多数の人もそうである、ということだ。「私は」を主語にすれば、等身大の責任の範囲で語れる。

同様に、人の話を聞くときも、「だれが？」を聞き取ろう。例えば、相手が「会社は何もしてくれなかった」というような場合、「それは具体的にはだれが何をしなかったのか？」とたずねてみると、組織の問題か、担当者の問題か、あるいは、その両者の問題か、責任の主体を探る糸口にもなる。感治課長のコメントに主語を入れてみよう。

【主語を入れて改作した例】

「吉沢さんは、ほんとうに仕事熱心な人で、企画課のみんなから、将来を期待されていました。だから、吉沢さんが辞めると聞いて僕は本当に残念だし、みんな同じ気持ちだと思います。吉沢さんは、仕事がうまくいかないときも、毅然として、とことん、やりぬく人でした。吉沢さんは、それでいて女性としてのかわいらしさも失わない。そういう人は、いま、なかなかいないと、僕は思います。吉沢さん、第二の人生も、とことんがんばってください」

日本に暮らす私たちが、省いたり、ぼやかしたりするものが主語の他にもまだある。

感治課長「請求書は、できるだけ早く提出してください」
論田くん「できるだけ早くって、いつまでですか？」
感治課長「できるだけ早くだ。総務は急いでるんだ」
論田くん「あの、何月何日の何時まででしょうか？　外注先にいま、お盆休みを取っている会社があり、17日の朝9時にならないと連絡がとれないのです」
感治課長「できるだけ急いでもらってくれ」
論田くん「………。では、質問を変えます。8月17日の10時までになら提出できますが、これでは遅いでしょうか？」
感治課長「……。総務に聞いてみる」
感治課長（戻ってきて）「論田、提出の期限は18日中だそうだ」

これは、業務連絡に日時がないことがネックだとすぐわかる。「できるだけ早く」

は人によって「1時間以内」か、「本日中」か、「今週中」か、ずいぶんブレる言葉だ。なのに、自分でもつい「できるだけ早く」「急ぎでお願いします」とやってしまうのはなぜだろう?

「時間」の決めは億劫だ。時間を入れなければ私たちはわりと自由に願望を語れる。「私、絶対自分史を出すわ!」「両親をヨーロッパに連れていくぞ!」では、それに日付を入れてくださいというと、たいがい無口になる。以前、企業にいたとき、「事業計画とは、夢に日付を刻むことだ」と教えられた。最初はこの意味がわからなかったが、自分で企画を立てる段になって、アイデアをスケジュールに落としていくところで本当に苦悩した。そのかわり、日程が組みあがっただけで、ほぼ、仕事の全容が見えた。それだけ、時間の決定にはさまざまな要素が絡んでくる。大小さまざまな「決め」をしないと、適切な時間の設定ができない。

決めのない発信は、結局、相手に負担をかけてしまう。発信には、極力、日時を刻もう。

例えば、相手の都合を聞くにも、「いつがいいですか?」としないで、「8月20日までの間で、いつがいいですか?」あるいは、「17日、18日あたりいかがですか? 時間帯は午後ならいつでもかまいません」というように、積極的に具体的な日時を入れてみよう。

「お金」も同じように、「そんなに高くない」「良心的なお値段で」などとつい曖昧にしがちだ。お金の話をあからさまにするのは、はしたないという習慣もあろう。しかし、例えば、会費8000円を、すごく高いと感じるか、そんなに高くないと感じるか、金銭感覚は人によってとても違う。不透明にしたままだと相手は自分と対等になれない。情報は持ってない方が不利に立たされる。金銭の情報は、早いうちに公開し、相手が検討できるようにする。値段の決定ができない段階でも目安の数字は示したい。

論理の橋を架けるには、わかりやすいこと、人によるブレが少なく、どんな人にも、ガラス張りで、対等に内容の検討ができることが条件だ。

主語を決めることで人を決め、時間を決め、お金を決める。決める億劫さやリスクを引き受ける。優柔不断な人はどうしたって論理的になれない。論理的に話すコツは、「決め」だ。

6　説得の筋道をつくる

話の構成は大切だ。何をどんな順序で話していくか？　説得の筋道を自分でつくれるようになりたい。まず、基本の構成から押さえよう。

論点↓なぜ↓意見

晩のおかず何にしようか？↓今日はお祝いだから↓すき焼きがいい。問い↓なぜ↓意見。基本はこれだ。話だろうと、文章だろうと、短かろうと、長かろうと。入門者は、まずこのとおりにやってみるといい。

日本の文章や会話では、「問い」が忍者のようにかくれている。最初に問いをはっきりさせるだけでも、ずいぶん話は通じやすくなる。

説得力はどこからくるか？

説得力は、「なぜ」の部分にかかっている。自分の意見が正しいと言える「根拠」をどこからもってくるか、それをどういう順序で並べて相手に説明するか。要は**「根拠の配列」**だ。

ここでは、上司に提案をすることを想定して、論理構成のつくり方を、初級・中級・上級で説明してみよう。

㈱リメインツーリスト、国内旅行事業部、企画課の論田くんは、会議の能率の悪さに頭を悩ませていた。会議の数が多い上に、時間も長く、内容がない。そこで部長に提案をすることにした。来週説明の機会が与えられたので、どういう手順で部長を説得するか、構成メモをつくっていた。

説得のシナリオをつくる〈初級〉——自分の論理で伝えてみる

まず素直に、自分が考えたことを、考えた順番で伝えてみよう。論田くんは、こうした。

〔構成メモ例1　問題発見解決型〕

論点　会議の効率の悪さをどうするか？（＊自分の関心事から入っていく）

現状　会議の現状はどうか？
（会議をめぐる部内の状況を、具体的事実、事件、統計などから説明していく）

⇩

問題発見　何が問題なのか？
↓「社員はなぜ、効率的に会議をやらないのか？」私は、それが問題だと思う。

原因分析　問題はなぜ生じているか？

↓やらないのではなく、できないのだ。つまり、社員の会議への知識・技術がないためだ。

そこで、

解決への提案　解決の方法として、今回、私が提案したいこととは？

↓会議スキルの向上のため、部内研修をさせてほしい。（以下、内容・方法を具体的に説明していく）

ここではラストの「解決への提案」が意見に相当するから、大まかな流れは「論点↓なぜ↓意見」に沿っている。この構成のポイントは、「問題発見」にある。会議の能率が悪いというのはだれもが思っていることで、このまま解決策を考えても焦点がぼけてしまう。そこで論田くんは、「何が問題なのか？」もう一歩つきつめて考え、よい問いを発見している。「社員はなぜ、効率的に会議をやらないのか？」

この、「おや？」「なぜ？」という心の引っかかりこそ、独自の問題発見だ。

問題の焦点が絞り込めたら、後は、その原因を「知識や技術がないためだ」と分析し、そこから、「必要な知識・技術を身につけるための部内研修を」と提案している。

た。**論点**について、**現状→問題発見→原因分析→解決への提案**という説得の筋道をつくった。

さて、論田くんのメモを見た感治課長がアドバイスをくれた。「たぶん部長はこう言うね。『大切なことだとは思うんだが、いま余裕がない。すまんが、機会を見てまた提案してくれないか』部長は、いま経費削減のことで頭がいっぱいなんだ」ならば、と論田くん、今度は相手の立場になってみた。「部長から見ると、ぼくの提案はどんな意味を持つんだろう?」

説得のシナリオをつくる〈中級〉——相手が知りたいことから伝える

これは、「経費削減」で頭がいっぱいの部長を想定したものだ。

〈構成メモ例2　相手優先型〉

論点　経費削減をどう実現するか?　(*相手側の関心事から入っていく)

提案　相手側の問題解決の方法として、今回、私が提案したいこととは?
↓経費削減の一助として、私は、会議スキル向上の研修を提案する。(相手と自分の問題意識をリンク)

提案理由　なぜ、この方法で、相手側の問題解決ができると言えるのか？
↓残業費は、会議時間の増大に比例している。つまり、会議効率向上で、経費の削減ができる。
↓会議効率によって、経費の大幅な削減に成功したA社の例がある。（他社の成功事例）

提案内容　具体的な内容・方法は？
（具体的には、社員の会議スキルの向上をいつ・どのように・いくらでやっていくかを説明する）

採用効果　提案を採用した場合、相手にとってどんないいことがあるか？
（提案採用によって相手が享受できるメリット＝いつ、いくらの経費削減が見込めるかなどを伝える）

論点の後にいきなり提案をもってくるという、「論点→意見→なぜ」の流れになっている。

この構成の最大のポイントは、**相手の関心事から論点を立てている**点だ。いきなり「会議の効率が……」と自分の関心をぶつけても、相手の関心がそこになければこっちを向いてもらえない。そこで相手の関心事「経費削減」を前面に押し出し、その手段として「会議効率の向上」を打ち出している。以降も、自分が言いたいことではなく、相手が知りたいことを優先して問いを組んでいる。これなら聞き耳を立ててもらえる可能性が高い。

提案者はつい、「いかに自分の提案がすばらしいか」を力説したくなる。しかし、相手の関心はそこにない。「その提案って、私に直接関係あるの？　あるとしたら、採用した場合、私にどんなすばらしいことが起きるの？」身も蓋もない言い方だが、相手の関心はそっちだ。そこで、この構成は、採用して会議効率が上がった場合、部長にとってどんなメリットがあるか（＝どのくらいの経費削減が見込めるか）で締めくくっている。

相手の関心を論点にし、その**解決策としての提案→解決できる理由→提案内容→採用された場合相手に訪れる効果**という説得の筋道をつくっている。

問いを水先案内にした構成メモ

構成メモは、例1、2のように、問いで組んでいくとよい。後は、自分で立てた問いに自分で答えていけば、プレゼンテーションの準備ができる。手持ちの知識で答えられないことがあっても、問いだけならシナリオはさっと組める。そのあとで、資料を調べたり、新聞記事にあたったり、取材したりすればいい。

当日話すときも、このまま参照できるメモになる。相手に話すとき、問いを生かして、「では次に、なぜ、この方法で経費削減ができるのか?を説明いたします」というように。「問い」を水先案内として、次、また次、と話を展開すれば、相手も次は何の話かわかりやすく、相手と自分で「問い」をきっちり共有して進める。

構成がつくりにくいときは、仮に4段構成くらいを想定し、まず、自分が一番言いたいこと(＝意見)と、その位置を決めることだ。ラストか、初めの方か。次に意見から逆算して論点を割り出す。そのあと、自分の意見が正しいと言うための筋道をつくっていく。

それでも構成がつくりにくいと感じたとき、方法は2つある。1つめは、自分自身の思考のプロセスをたどってみることだ。自分の意見があるということは、必ず、自分自身が納得した理屈がある。それを素直に構成の筋道にしてみよう。2つめは、自分自身が説得された文章の構成を割り出してみることだ。プロの評論でも、先輩の企画書でもいい。論理構成を割り出したら、それをベースに、アレンジしてみるといい。

説得のシナリオをつくる〈上級〉──多角的に説得する

論田くんは、コスト削減に注目したメモを理子さんに見せた。理子さんは「経費削減はすごく大事、でもあの部長は、金だけじゃ動かないわよ」と。そこで、コストだけでなく、多角的に説得してはどうかと、構成を考えてくれた。

理子さんは、先日部会で発表になった「国内旅行部の中期（3年後）ビジョン」に目をつけた。国内旅行部は3年後どうなることを目指すのか？（時間軸）、そのとき国内旅行部の社会的な役割は今とどう変わるか？ 社内での国内旅行部の役割はどう変わるか？（空間軸）。自分と相手の共通の関心事である「将来のビジョン」をまず共有する。

そこに向けて、今後、外部とどのような関わりが生まれ、どのような交渉能力が必要になるか？を確認する。そうした近い将来、必要性に迫られることは必至で、現状でも多くの問題を抱えた、会議のスキルをどうするか？と課題を明らかにする。

部長から予想される、「経費削減でいま余裕がない」といった反論に備える形で再反論の準備もしておく。提案を通すには、事前に、相手が疑問・反発を抱きそうなポイントを取材したり調べたりして、その理由とともに把握しておき、その反対理由を払拭するだけの根拠を手堅く用意しておくといい。理子さんが考えたメモは次のとおりだ。

〔構成メモ例3　ビジョン実現型〕

論点　国内旅行部の中期ビジョン実現のためにどうするか？（＊相手と共通の将来から入っていく）

目標　目指すべき将来（3年後）のビジョンとは？
（将来何を目指すか？　社会や社内での役割はどう変わるかを共有する。――時間軸・空間軸）

↓

課題　そこに向けて何が求められているか？　現状はどうか？　課題は何か？
（その時、対外的にどのような会議スキルが必要になってくるか。一方会議の現状はどうか。そこから社員の会議スキルの低さは、どうしても克服しなければならない課題であることを共有する）

↓

そこで、

提案　課題克服の方法として、今回、私が提案したいこととは？
→課題克服の方法として私は、会議スキル向上の研修を提案する。（以下、内容・方法を説明していく）

↓

反論想定　この提案にありがちな反論とは？　それに対してどう考えるか？
（経費削減などの目前課題との優先順位をどう考えるかなど、相手から出そうな反論に予め備える）

↓

採用効果　提案を採用した場合、相手にとってどんないいことがあるか？
（提案採用によって相手にどのようなメリットが生じ、ビジョン達成に近づけるのかを示す）

相手の目前の要求も理解しつつ、大きな視野に立った構成になっている。

根拠を多角的に導くために、社会や世界の状況からどうか？（空間軸）、問題の歴史的経緯、そして将来はどうか？（時間軸）、さらに、自分の動機は？（人の軸）と、3つの軸から問いを立てて考えてみるといい。

やはり提案者の熱を伝えることは必要だ。口先で言う情熱なら、何とでも言える。熱をどれだけ、思考や行動に結び付けたか？　つまり、提案について、どれだけ情報を集め、どれだけ考え抜き、どれだけ動いたか？　それはプレゼンの端々に現われる。

以上、3つの例から、「根拠」を、どういう角度から引っぱってくるか、どう配列するか、を見てきた。前提として「論点」つまり提案者の問題意識が肝心だということがわかる。


この章では、論理で通じ合う技術を、「問い」に着目して見てきた。この技術を磨けば、あなたは、正しいことは正しい、おかしいことはおかしいと、人に伝えられるようになる。

ところが、一方で、正しいことを正しい、おかしいことはおかしい、が通じない場

面もある。正論を言うとなぜ、孤立するのか？

第3章
正論を言うと なぜ孤立するのか?

言葉は、関係性の中で人の心に届く。

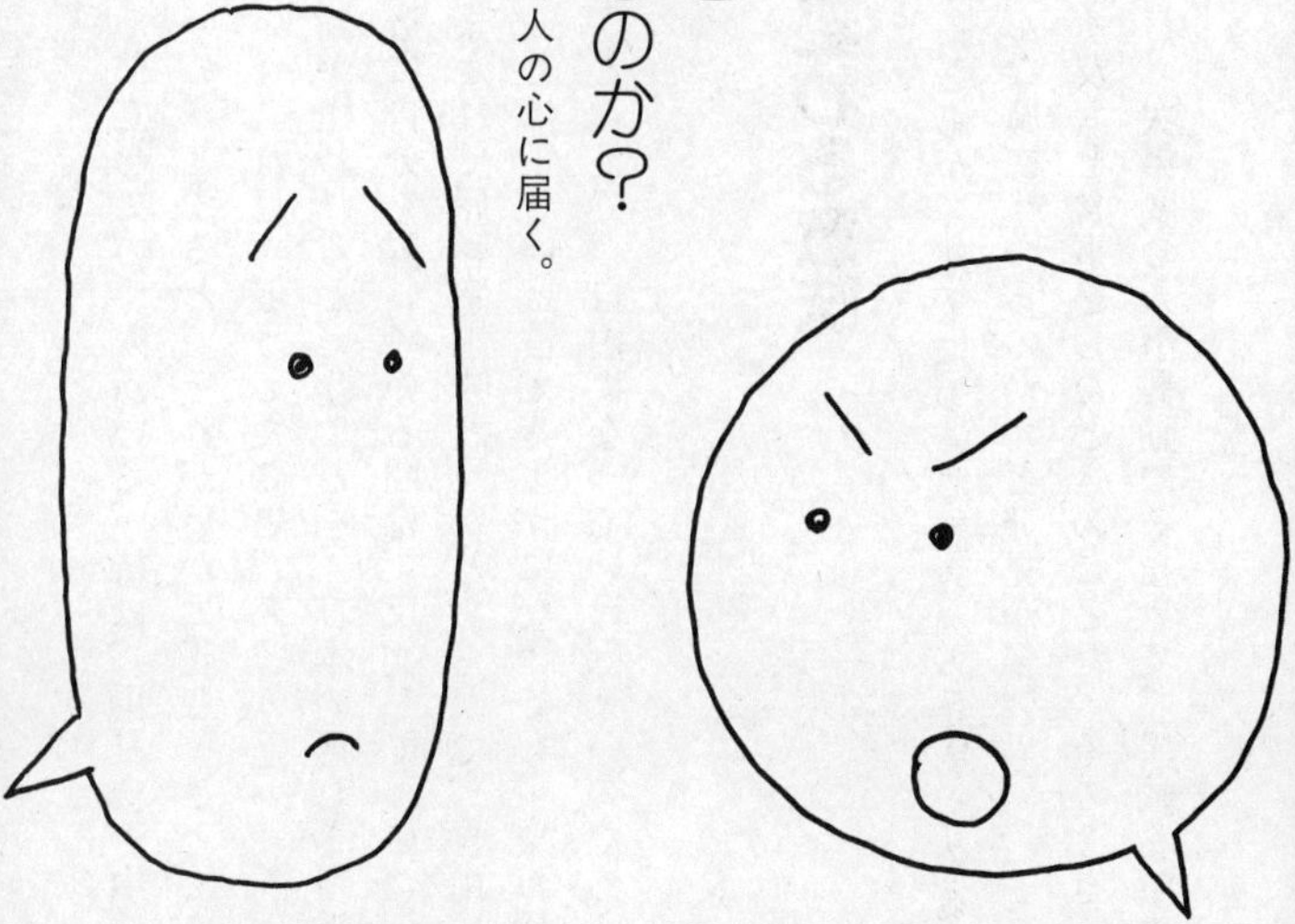

正しいことばかり言って孤立していく人がいる。特に、男社会の中に、女の人が正論を振りかざして挑んでいこうとすると、それがいかに正しいことであっても、なかなかうまくことが運ばない。これは、どうしたことだろうか？

私自身、長いこと、正論が嫌われるということを、日本の悪しき習慣だと思っていた。でもそういう対立構造に自分を置いている間は、反発して言いたいことを言って嫌われるか、長いものにまかれて屈辱感を味わうかどちらかで、自由になれなかった。

論理を磨いて、正しいことは正しいと言えるようになっても、嫌われるだけなのだろうか？　この現象をどうとらえて、自由になっていけばよいのだろうか？

1　関係の中で変わる意味

大企業の部長さんや課長さんが、部下について語るのをきいてみるといい。「上の目からみたら、社員はそんな風にうつるのか」と発見が多い。

大企業で課長をしている友人と食事をしたときのことだ。そのとき、友人は、大胆な組織替えをし、ちょうど、次年度の人事異動にそなえて、異動希望や退職希望を聞く時期とも重なったそうだ。朝、友人がメールボックスを開けたら、そこには部下からびっしり、こんなメールが。

「はっきりいって、今度の仕事、私のキャリアに合わないと思います……」

「あの人がなぜリーダーになったのか、納得できません。説明を……」

「今度の席、タバコの匂いで能率が落ちます……」

「実は、退職も視野にいれたご相談をしたいのですが……」

「課長、こんな時ですが、ミスが出ました……」

小論文をやっている私は、瞬間、それらのメールの根っこにある想い、つまり根本思想のイメージが浮かんだ。

受信箱には30通の新着メールがあります。

1　不満

2　不満

3　愚痴

4　不満

5 深刻な相談
6 不満
7 遠まわしな批判
8 深刻な相談
9 不満
10 ミス発生………

うわあ、これ、たまらないなあ!と思った。メールを出した一人ひとりには、やるせない個別の事情があったのだろう。がまんにがまんを重ね、入社以来はじめて上司に意見したという人もいよう。しかし、それらが大量に押し寄せる上司のところまでいくと、どんな内容も、不満は不満、愚痴は愚痴としかうつらない。おそらく、タイトル見て、名前見て、内容の頭をぱっと見て判断され、選り分けられ、場合によっては上司の心のごみ箱へ直行だろう。

課長って大変だなあと思った。普段だって、ミスが起きたか、トラブルが起きたか、不満があるか、褒めてくれ、認めてくれか、はては個人的な相談事までが、メールでやってくる。

それで、課長のところで考えて、どうにもならない重大なことだけが、部長に上がる。まるで、目の粗いザルでこすように。だから、部長の受信箱は、

1 課長ではとても手におえない不満
2 とっても深刻な相談
3 とっても深刻な不満
4 とっても深刻なトラブル
5 とっても深刻なミス報告………

だったら、その上の本部長の受信箱は？　役員は？　社長は？　ぞおおおっとした。上にいくにつれて、密度の濃くなる、部下の「なんとかしてくれ」と、「認めてくれ」。上の人も仕事とはいえ、毎日そんなのばかりだったら、うんざりだ。そんなイメージが浮かんでいた、次の瞬間、この言葉がふっと浮かんだ。

「よほどのことがないと……」

そうか、よほどのことがないと、大きな会社では、重役にメールを出したり、直接コンタクトをとることはないんだ。ものすごく良い事か、ものすごく悪い事か……、

あっ、

そうか！

私は、いままで自分がやってきた、日常的な上司とのコミュニケーションの、ある、重大な誤りに気がついた。

先にメディアカありき

人モノ情報がひしめく大きな組織で企業戦士として内外の人々と、また編集者として読者の高校生と、通じ合おうと格闘していた私は、ある日次の言葉に出くわし、衝撃を受けた。当時ＣＭプランナーとして、経済学者が首をひねるほどの成果をあげていた佐藤雅彦さんの言葉だ。

たとえば、店頭で、インスタントラーメンなら、インスタントラーメン売り場、ビールならビール売り場へいってみてください。パッと見て、もうすでに大体買うラーメン、買うビールは決まってしまいます。一般の消費者も、ラーメンやビールだと選択にそんなに時間をかけていません。僕は、よくスーパーとかコンビニに行って、みんなが買うところを観察するのですが、（中略）ちょっと大げさなようですが、みんながる商品は、ちょっと光り輝いているように見えました。僕は、その光り輝くオーラのような存在を、自分では「見えない衣」と呼んでいます。そして、この見えない衣を作りあげることにCMがかなりの役割を担えるのではないかと考えたわけです。

（佐藤雅彦『佐藤雅彦全仕事』マドラ出版）

手にとる前に、すでに何を買うかが決まっている。

これは、本当にショッキングな事実だった。ビールをつくる側にとっては、なんと厳しい現実だろう。どこにも負けないおいしいビールが、ちらっとさえも見てもらえず、ショーケースの片隅で淘汰されていくことだってあるのだ。問題は、お客さんに「味のよさをわかってもらえない」ことではない。お客さんが、

中身なんかで選んでない

ことだ。やろうとしても不可能なのだ。店に何十種類と並んだビール、新商品は次々出る。どうやって飲んで比べるというのだろう。ビールが2種類しかない時代とはわけが違うのだ。選ばなきゃならないのは、ビールだけじゃない。ラーメン、チョコレート、靴、バッグ、CD、参考書……、何千何万と新商品が繰り出され、それに関す

る情報が、洪水のように浴びせかけられる日々の中で、中身を第一に選んでなどいられはしない。

葛藤もなく、自覚もないまま、私たちは、よく中身を知らないで判断するようになった。CM、ブランドイメージ、評判、デザイン、口コミ、店のどこにどんなふうに置いてあるか……。中身の替わりに、それがまとっている「情報」という新たな判断基準を採ったのだ。

「情報に上らないモノはないに等しい」

「表現されない自己は、無に等しい」

考えたくはなかった。人間はビールではないと思った。しかし、効率化が進み、人モノ情報があふれ、競争が激しいところでは、人もパッと見て、選び選ばれなければならない。そして企業にいる自分も、会社から、顧客から、そのように、見られ、判断され、選り分けられていく立場であるという現実を、受け入れないわけにはいかなかった。

先に入った情報が後の情報を規定する

中身でなく、それがまとっている情報で判断してしまう。気づいてみるとそれは、生活の隅々、自分の深部にまで及んでいた。以前読んだ本に、あるテレビ番組のことが批判的に書いてあった。私は、その番組を観たことはなかったが、しばらく観る気がしなかった。ところが観てみたら、素晴らしい番組だった。早く観なくて損をしたと思った。実は、何人もから、この番組がいいと薦められていたのだ。でも、先に批判を読んでいた私には、響かなかった。

情報は、先に入った方が、あとの情報を規定する。

私たちは、イメージに惑わされ、情報に踊らされる。みな悪気があるのではない。ただ、選ぶ側の疲れというか、持久力のなさというか。何かを判断するのにかける時間、手間、意欲、粘りが、すりへっている。みんな、忙しすぎるのだ。

上司も同じではないだろうか。部下にとって上司は1人でも、上司にとって部下は多数。何十人、何百人と部下がいても、上司は、役割を与え、判断し、評価しなければならない。人間判断の効率を、日々、厳しく迫られている。

上司から見たら、「この人を買っている」「この人は論外」みたいなことは、もうすでにある。失敗ができない仕事なら、「確実な人」を選ぶだろう。チームワークが求められる仕事なら、「文句言い」は排除するだろう。

でも、だれが「確実な人物」か？　だれが「文句言い」か？　上司は2年も3年も部下と付き合った後で、振り返って、人の印象を決めるのではない。仕事は2、3回も一緒にすれば充分だろう。2、3回、キツイ感じのメールを受け取れば、恐い奴だと思うのに充分だろう。いったんついたイメージを取り払うのも容易ではない。いや、多くは、最初の印象で決まっている。

人間は生だ。生の人間は、白黒はっきりつかず、揺らぎ、変わり、さまざまな面を見せる。生を生のままで判断するのは億劫なものだ。こちらも揺らぎながら、じっと見続けねばならず、根気がいる。だから、「この人はどんな人か」、1、2回の印象で規定して、早くラクになりたい。もっと言えば、ぱっと見た印象で、さっさと規定してしまいたい。

いや、「生」は面倒だ。いっそ、この人に関する「情報」で判断してしまいたい。「情報」は、「生」より平べったく、加工してあるから判断がずっとラクだ。だから、ある人について知りたいとき、自分でその人とじっくり話してみようとする前に、その人を知っていそうな人に、「おい、あいつはどんなやつなんだ?」となる。

私たちは、中身をよく知って判断されるのではない。先に「メディア力」ありきだ。

2 正論はなぜ人を動かさないのか？

私は、インターネットに、「おとなの小論文教室」というコラムを長く連載している。

連載当初、私の力量では、縮めても縮めても、どうしても、A4にして7～8ページ分の文字数が必要だった。いま、自分で読んでも長いと思う。この手の文章に熟達した人なら、一発で「無駄が多い」「短くしろ」「こういう内容を削れ」と言えたと思う。だが、まわりのだれ一人、それを言わなかった。

一回一回全力投球していくうち、やがてそれが、5ページで書けるようになり、気がつくと3ページで書けるようになっており、ちょっとした感慨があった。連載開始からちょうど3年経っていた。

もしも、最初のころに、ネットコラムの達人が現われ、正しい助言を私にしていたらどうなっていただろうか。ぞっとする。

一時期、大量の文字数で書いてみることは、私にとってどうしても経なければならないプロセスだった。また、短く書くのに3年というのも、私にとって必要な時間だった。自分の感覚としてつかんでいけたからこそ、納得感がある。自分でつかめたということ、3年の間にコツコツと身体に刻まれた習性が、小さいけれど消えない自信になっている。

それをすっとばして、いきなり正解を教えられても、正しいから抵抗できず、でも3年かかったことを、すぐやれるはずもなく、「わかっているのにどうしてできないんだ」と自分を責めたろう。仮に正しい助言にそって、3年が1年に短縮できたとする。でも、身に刻まれた習性は浅く、それは自分で編み出したものではないから、困った時はまた正解をほしがり、人をあてにする。そこにはもう、失敗をする自由さえない。

人は、自分でつかんでいきたい生きものなのかもしれない。なぞなぞで、もう少しで答えがつかめそうなとき、正解を言われたら、相手を怨むだろう。謎解きをするときのぞくぞくする感じ、わかったときの、頭にパッと電流が走り、すっと腑におちる爽快感。

正論を拒むのは、人間の本能かもしれないと私は思うようになった。正論は強い、正論には反論できない、正論は人を支配し、傷つける。人に何か正しいことを教えようとするなら、「どういう関係性の中で言うか?」を考えぬくことだ。それは、正論を言うとき、自分の目線は、必ず相手より高くなっているからだ。

教えようとする人間を、好きにはなれない。相手の目線が自分より高いからだ。そこから見下ろされるからだ。そして、相手の指摘が、はずれていれば、それくらいわかってる、バカにするなと腹が立ち、相手の指摘があたっていれば、自分の非が明らかになり、いっそう腹が立つ。

では、学校で、生徒は先生にしょっちゅう腹を立てているのかというとそうではない。それは、「教えてください」という生徒がいて、互いの合意の上で上下関係ができているからだ。

望んでもいない相手に、正論をふりかざすのは、道行く人の首根っこをつかまえるような暴威だ。まして、あなたと対等でいたい、あなたより立場が上でいたい、と思っている相手なら、無理やりその座から引き摺り下ろし、プライドを傷つけ、恥をかかせる。

だから、相手は、あなたの言っていることの効能を理解するよりずっとはやく、感情を害してしまう。理性より感情の方が、ずっとコミュニケーションスピードが速い。

相手は、あなたを「自分を傷つける人間だ」と警戒する。正論をかざすことで、あなたの相手に対する「メディア力」は下がってしまう。先にメディア力ありき、相手は、そういう人間からの言葉を受け入れない。だから、あなたの言う内容が、どんなに正しく利益になることでも、なかなかうまくことが運ばないのだ。

言葉は、関係性の中で、相手の感情に届く。

情報占有率

例えば、3年間ずっとノーミスでやってきた論田くんが、はじめてミスを出した。

3年前からずっとその仕事ぶりを観てきた上司と、異動していきなり論田くんのミスに出くわした上司と、論田くんへの印象は同じだろうか？

両者のミスの「情報占有率」がちがう。つまり、3年間のつきあいの中で、ミスが占める割合と、たった1回初めて論田くんと接した中で、ミスが占める割合と。

相手は、あなたが過去からずっと積み上げてきたすべての情報で、あなたを判断するのではない。結局は、そのとき相手が持っている情報だけで判断される。その中で、いい情報の占める割合が多ければ「いい人だ」となる。

あなたが「優しい人」で10年間怒ったことがなかったとしても、10年ぶりに怒ったとき、たまたまでくわした初対面の相手にとっては、それが100％だ。あなたを「恐い人」だと思う。

自分にふさわしい「メディア力」を相手の中に刻むために、ちょっと「情報占有率」を意識してみるといい。

コミュニケーションでは、出会いからはじまって、相手から見たあなたの「メディア力」が決まるまでの間が肝心だ。つまり、初めの方が慎重さがいる。ここで、かっこつけるのでもなく、でも、あなた以下にもならず、等身大のあなたの良さが伝わるのが理想だ。

いつも質の高い仕事をしているなら、はじめての仕事先に対して、決していつもの質を落としてはいけない。ふだん静かな人なら、初対面の相手にも、奇をてらったりせず、普段どおり静かにしていればいい。自分にうそのないふるまいをする、ということは、初対面の相手にこそ大切だ。

さて、ここで問題なのは、ふだんとても穏やかなあなたが、その日はたまたま嫌なことが重なり、攻撃的になっているという場合だ。自分にうそのないということで、相手にきついことを言ってしまったらどうだろう。あなたにとっては、年に1回の、「たまたま不機嫌な日」でも、相手にとっては、あなたに関する情報の100％になる。

初対面の相手、まだ付き合いの浅い相手には、すこし慎重になって考えてほしい。

何が、自分にうそのないふるまいか？ 自分の正直な姿を伝えるとはどういうことか？

日ごろ99％穏やかなあなたなら、1％の異常よりも、いつもの穏やかさを伝えるほうが、結局は、正直な姿を伝えている。相手の中に、あなたの実像に近い「メディア力」が形成されるからだ。初対面の相手にこそ、平常心であること、普段どおりにやることが大切だ。

私は、メーカーで課長をしている友人に、たくさん押し寄せた不満メールのことを思い出していた。そして、残念に思った。

たとえ、入社以来、我慢に我慢を重ね、耐え切れず、はじめて課長に不満メールを出したという人でも、それまで課長に1通もメールを出したことがなければ、不満メール率100％だ。課長から見れば、「不満がましい部下だ」とメディア力が下がらないだろうか？ すると発言力もさがる。だが、それは、この人の内面にふさわしい見られ方だろうか？

普段、我慢強い人なのであれば、日ごろ課長とのメールのやりとりで、普段どおりの我慢強さが伝わっていって、課長の中に、この人にふさわしい「メディア力」が築かれたあと、意見を言ったほうが、ずっと伝わるのにと思う。

まず等身大のあなたを伝え、相手の中にあなたにふさわしいメディア力ができて、それから意見したほうが、あなたの話はずっと伝わる。

「日ごろのコミュニケーション」はなぜ大切か？

よほどのことがないと上司のところに行かなかった私の場合、ミスを出したときに報告に行くか、トラブルが起こって相談に行くか……。大半が、トラブル発生時だった。

この状態を極端にして、上司の目から見ると、こうなる。

「山田は、めったに話しかけてこない。いま、何をしているのか、何を考えているのか、わかりにくい。たまーに、こっちに来たと思ったら、しかめっ面をしている。あ、めったに来ない山田がこっちへ来る。何かよくないことが起きたに違いない」

つまり、上司の心証の大部分を占めるのが、「困った時の私」になってしまう。

ミスやトラブルは、いちはやく、つつみ隠さず上司に報告する必要がある。マイナス情報をすぐオープンにすることで、問題点が早く発見できる。改善の良い知恵もまわりからさっと集まってくる。どんな小さなミスも、隠せば、問題発見が遅れ、事態はどんどん深刻になる。気づいた時は手遅れだ。だから、ミスやトラブル報告は絶対に減らせないし、減らしてはいけない。だとすると、上司から見て、自分のプラス情報の割合を上げていくしかない。

私がすぐ思いついたのは、成果報告を、まめにきちんとやることだ。それすらも、目先の仕事に追われて、ちゃんとやっていなかった。

でも、まてよ。これ、普段の私か?

自分のいい情報を積極的に流すとしても、上司にわざわざ言うほどの成果が出ることは、1年でも数少ない。やってはいくが、それこそ、非日常だ。自分の全活動が100%として、上司に告げるほどのトラブル・手柄は10%だとする。残る90%が、普段の仕事生活だ。これをどう伝えたらいいのだろう?

「言われなくても、日ごろのコミュニケーションが大事なことぐらいわかってるよ。うちには日報だってあるし、日々の報告義務があるから」と言う人がいるかもしれない。でも本当だろうか? 何もない日の報告は、つい忙しさにかまけて怠ったり、気合いがはいらないのではないだろうか？　だって、「何もない」のだから。

上司など、やや距離のある人に自分の実像を伝えるのは、そんなに簡単ではないようだ。

3　等身大のメディア力をまとうために

深刻な話題満載のメールボックスを開く上司に、惰性で日々の報告を書いても印象に残らないどころか、「こいつのメールはいつもあまりたいしたことは書いてないから」と、メディア力を下げかねない。そこで私は、苦手な「自己アピール」を試みた。

自己アピールが下手な日本人である私

できるのなら、この時代、自己アピールはした方がいい。自己アピールのうまい人を、私も何人か見てきた。そういう人はやっぱり、いいポジションをつかんでいる。これもいやみなく、自慢をさらり、自己主張をしっかりやってのけられるのは才能だ。これからもどんどんやっていけばいいと思う。ところが、私はどうも苦手だ。自分で自分を褒めるようなことをするとへこんでしまう。それに、意を決して自己アピールしても、相手の反応が今一つなのだ。

試しに、そんなに親しくない相手に、「今日は、私のことを知っていただきたくて」と頼まれもしないのに、自己アピールをとうとうとやってみよう。多くの人は、やっぱり引く。言うまでもなく、日本には謙譲の美徳というものがある。あなた自身はどうだろうか？　自己主張がうまい人が好きか？　それともアピール下手で謙虚な人が好きか？

相変わらず謙虚な人は人気が高い。アピール下手な人は、無理をせず、「謙虚」という自分のメディア力をうたっていく方がずっといい。

アピールすることで、むしろメディア力が下がることもある。いったん「自慢がましい人だな」と思われてしまうと、以降、何を言っても自慢がましくとられてしまう。必死になってアピールすればするほど、「この人、自分で自分を売り込まなきゃならないほど、せっぱつまっているのかしら？」ととられることもある。用もないのに自己アピールをすると、どうも日本の風土からは、浮き上がってしまうのだ。

上司のところには、ただでさえ、部下から「褒めてくれ」「認めてくれ」という発信が集中する。自己アピールは、できたらした方がいいのだけど、少なくとも、上司のメールボックスで、新鮮な輝きを放つ根本思想ではない。

では、上司のメールボックスで、新鮮な輝きを放つ「根本思想」とはいったい何だろう？

理解という自己発信

やりなれない自己発信で、挫折しかけていた私だったが、チームのメンバーに対する責任を思い、気をとり直した。小論文のリーダーである私と上司の関係は、少なからずメンバーに影響する。

自己発信を書きかけてみては、自慢がましくてやめたり、ぎこちなく日ごろの取り組みなどを送ってみては、上司からなんの反応もなかったり。そんな手探りを繰り返すうち、入社以来、ほとんど考えたこともなかった上司の気持ちを考えるようになっていた。

部下ってけっこう身勝手だ。上司に「わかってくれ」とは言うが、上司を「わかってあげよう」とは言わない。上司にごまをすっていたかと思うと、一転して今度は突き上げる。弱いものが強いものを突き上げるときって、容赦ない。

どんな自己発信をするにせよ、受け手のことを知らなければ的外れになる。「これは、まず、相手理解が先だな。」自然にそこへ行き着いた。

上司の話はよく聞く。配布物、メールは、よく読む。小論文担当の私にとって、読解はお手のものだった。上司が立てた「問い」は何か？ 上司のもっとも言いたいこと＝「意見」は何か？ 根拠は何か？ 上司の発信の「根本思想」は何か？ すると、上司の想いや、これからどこへ向かっていこうとしているのかが見えてきて、けっこう発見があった。

その中で、日ごろのコミュニケーションなるものを、3つほど思いついた。

1．相手の発信にリアクションをする

まったく何もないところに、自分が考えたテーマを唐突に発信しても、相手と問題意識がずれていることがある。相手が何か発信してきたときに返信すれば、お互いの「問い」はピタリと合っているわけだ。

これは上司に限らない。だれでも、自分の発信を人がどう思ったか知りたい。発信しても何も言われないのは寂しいものだ。だから相手が発信してきたとき、相手の方にあなたの言葉を聞こうというモチベーションがすでにある。このチャンスを見逃す手はない。

人の発信には100％、心をこめた早めのリアクションを心がける。

これをずっと続けるだけで周囲のあなたへの理解は増す。受け止めて、理解して、リアクションの達人になるのだ。

人の発信を理解するというのは、受け身で、自己発信と逆なような気がする。ところがそうではない。リアクションには、自分の理解力はもちろんのこと、知識や経験、思考力、仕事観などが表れる。具体例を挙げようとすれば、自分たちの平素の取り組みを知らず知らずに伝えることにもなる。

それだけに、上司へのリアクションには注意が必要だ。まず、「批評」するのではない。「アドバイス」も失礼になる。この二つはどうしても、相手より目線が上になってしまう。「内容のここが今ひとつ」「話の構成は逆だとよかった」と上司を批評する人は少ないと思うが、「部長も、最近わかってこられたな、と感心しました」というような褒め言葉も、目線が相手より上になるので注意しよう。

多いのが、話を聴いて感銘を受けたという「賛辞」だと思う。うそのないものなら相手は読んでうれしい。しかし、褒めることが目的になったり、義務になったりすると、伝わらない。

2. 頼まれたこと、聞かれたことに誠実に対応する

組織にいると、自分の担当業務に直接関係のない社内の雑用を頼まれたり、忙しいときに自分の担当分野のことを質問されたりすることがある。効率を重視すると、これらは、ロスとしかうつらない。しかし、広報と考えると、自分のことを社内の人に知ってもらう機会だ。担当業務外の仕事を頼まれれば、いつもは接しない人たちと接点ができる。また、人に聞かれたことに誠実に答えることが、結果的に、自分がどんな経験をもっているか、どんな仕事をしているか、知ってもらう好機にもなる。

3. 他人のことなら自慢できる

自己アピールするとへこむ人でも、部下や同僚のことなら、わりと自然に自慢できるものだ。私は、「後輩がこういう取り組みをしています。こういう点が優れていま す」というような報告を上司にしていた。もともと後輩が優秀なのだけど、そのようにし始めて、3人くらいから「今期、よい評価をもらいました。ありがとうございます」というメールをもらった。ときには、自分の評価がふつうで、後輩がよくてちょ

っとへこんだこともあったが、それでもチームのメンバーがよい評価をもらうのはい。所属するチームのメディア力が上がれば、結果的に、自分のメディア力も上がる。これも、あざとくやるのでは意味がない。本当に、後輩の取り組みに心を動かされたとき、正直にやることが大切だ。

そのほか、仕事上の発見、役立つ情報があったとき、上司に限らず、広く社内にシェアするのは言うまでもない。また、発表とか、人前で話してくれと頼まれたとき、嫌がる人は多いが、自分の仕事を知ってもらう機会が向こうからやって来たと、積極的に受けよう。

言葉は関係性の中で相手の感情に届く

そんなふうにして、ぎこちなくだが、日ごろのコミュニケーションを心がけていたある日、上司と、絶妙に問題意識が重なることがあった。

上司は管理職、私は編集職と立場はちがうが、私も編集長として、内外の多くの人を引っぱっていかなければならない。しかも、同じ組織で、同じお客さんに向かっているわけだ。

それで、「自分も今、まさに!同じ問題を考えていたところだ。それをどうにかするために、まだ手探りだけれど、小論文チームでは、このようなことを実行してみている。それを実行して、こんないい芽も出始めているが、まだ、こんな問題も残されている」という内容のメールを思わず上司に送ってしまった。そのときは、他意はなく、ただ言わずにはおれないという感じだった。だから、そのメールに共鳴した上司が、参考事例として、課の全員に転送してくれたと聞いたときは、まったく意外だった。

今まで、そういうあざといことも期待して出したメールは反応ゼロだったのだ。なんであんなメールが、と思ったとたん、「やばい!」と思った。

「みんなに見せるんなら書き直したかった。だってあんなこと、まだいいか悪いかも手探り中だ。みんなに見せるんなら、もっとかっこいい取り組みがあったのに。文章だって、もっとちゃんと書いたのに。恥かしい……」と思いかけて、まてよ、と思った。「10%の自慢でもミスでもなく、90%の日常をいい形で知ってもらうって、もしかして、このこと?」

結果的にその一件は、小論文チームの日常を伝え、上司だけでなく、社内認知までも一挙に図れた、まったく意図せずして。コミュニケーションは奥深い。いつも、あれこれと意図してやっては結果が出ず、その目論見をすべて忘れ去ったころに大事なことに気づかされる。

「まったく意図せずして」これが肝心だったのだ。

みな同僚や後輩にメールを書く時だって意図があるだろう。上司にメールを書くときは、もっともっと構えて書く。目論見、期待、依頼心。「なんとかしてくれ」と「認めてくれ」。ところが、そういう意図がまったくなく無心に書かれたメールは、それだけで珍しい。そして、相手にとっての意味は、あとから思えば、同じ仕事人としての「共感」になっていた。

「共感」。この根本思想は上司の受信箱には、ありそうでなかなかない。たいてい賛辞になってしまう。「今日の社長のお話には、大変感銘を受けました」「さすがは部長、目のつけどころが違います」賛辞にしても、突き上げにしても、下から上を見上げる。部下の目は「上司」を見ている。だから同じ問題を語っていても、部下と上司は見ているものが違う。管理職が孤独を感じるのは、そんなときだ。

ところが「共感」は違う。部下の目は、上司と同じ「問題」を見ている。上司が目指す方向を自分に立脚して見ている。自立心、責任感が伝わってくる。そこに連帯感が生まれる。

その後も、私の率直な性格のせいか、まだまだ上司との関係には苦労したけれど、以前から比べると、格段に上司との関係は進歩した。小論文への新任、異動希望も増え、新しい企画を実行するときなど、ずいぶんと動きやすくなっていった。チームの実像とメディア力が近づいているな、という実感があった。

言葉は、関係性の中で、相手の感情に届く。だから共感を入り口にしたコミュニケーションは、正論より、ずっと確実に伝わる。

では、次章で、共感をキーに、論理的に伝える、ということをやってみよう！

第4章　共感の方法

教えようとする人に、共感はもてない。
相手の目線の方が上だから。

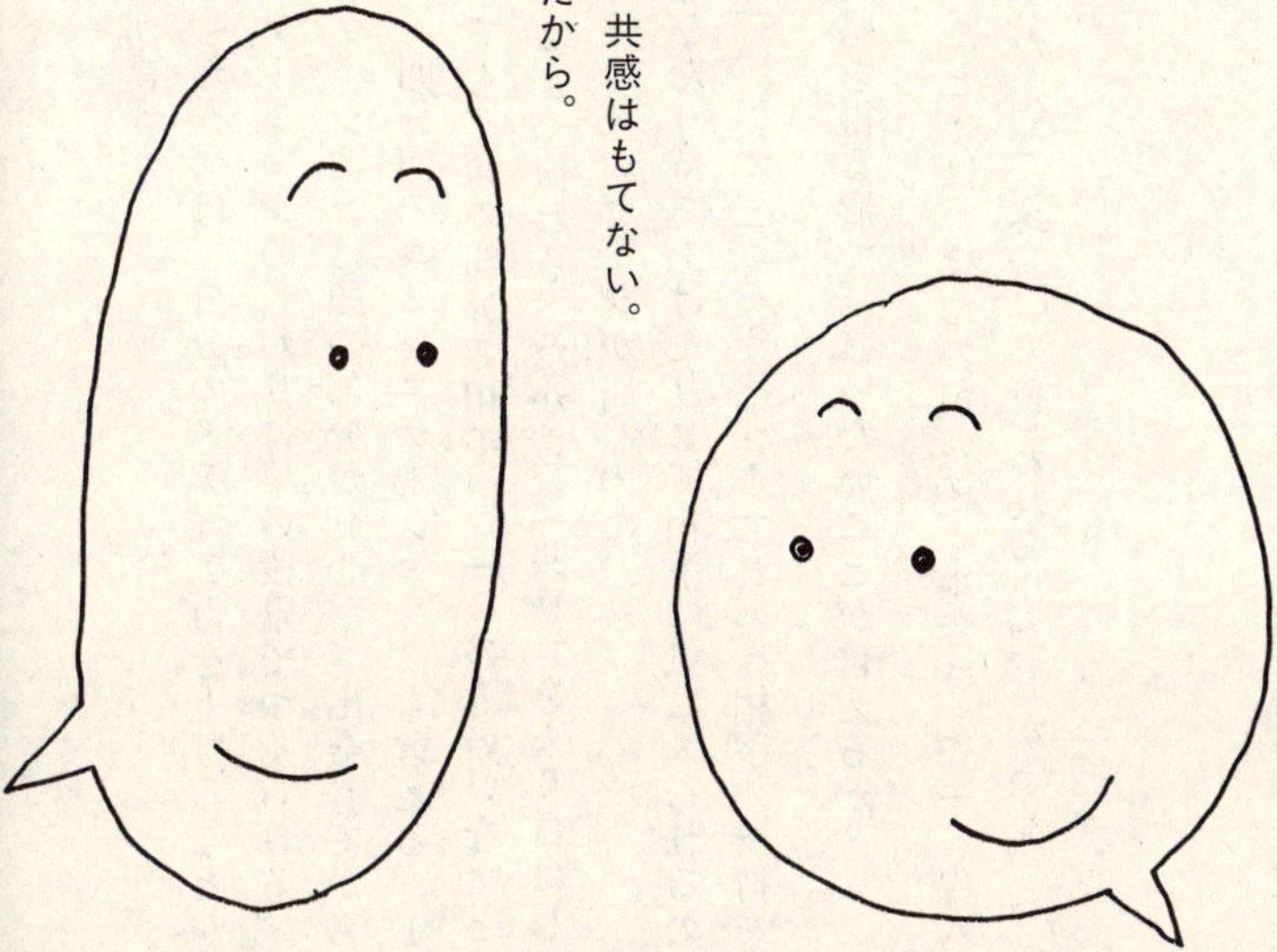

何を言うかより、だれが言うか。

言いたいことを聞いてもらうには、自分のメディア力を上げることが大切で、そのメディア力は、コミュニケーションの、わりに早い段階でつくられる。

だとすると、コミュニケーションは頭の部分が肝心だ。出会ってから親しくなるまでという意味もあるが、一回一回のコミュニケーションにも言える。1通のメールでも、1回のミーティングでも、頭の部分で相手に、「この人いいな」と思ってもらえたら、あとの話は、ずっとよく伝わる。だから、「共感」を入り口にしたコミュニケーションは、強制よりも強くメッセージが届くのだ。

「共感」されるとは、媚びたり持ち上げたりして相手に気に入られるのとは違う。自分の考え方・やり方で、「いいね！」「そうそう！」という相手の支持を得ることだ。

どうすれば、相手の共感を得る形で、言いたいことが言えるか？

それを考えてみよう。たとえば、ほんの短いメールでさえ、「この人いいな」と思われる出だしと、「この人なんかいやだ」と思われる出だしがある。

1　情報は配列が命

㈱リメインツーリスト、企画課の新人、味子《まいこ》さんは、学生時代のサークルの先輩から「来週あたり食事でもしませんか、ご都合いかが？」と、誘いを受けて、うれしくて、しかし困って、こんな返信をした。

件名　Re: お誘いの件
えっと、来週ですか？
わたし、けっこうバタバタしてんですよね。
月曜は、会議が長引くかも。
火、水は、広島出張なんです。
木曜日は、一応なにもないけど、
金曜、発表なんで落ち着かないかなと思うんですよね。
土曜は8時まで、新橋で英会話なんですけど、
そのあとじゃ、おそいですかねえ？
日曜は、大学の同窓会で箱根なんですよね。
味子

味子さん、正直でいい。来週どうかと言われたら、私もこういうふうに月曜から順番に考えていくと思う。でも思ったままを、思った順番で書いていくだけなら、ひとりごとや、日記と同じだ。「箱根なんですよね」とつぶやかれても、相手はどうしたらいい?

親しい相手だから、気軽に書いていい、ということと、わかりにくくていい、ということとは別だ。こういう症状のときは、「どういう順序で書くか」に注意してみよう。メールでも話でも、ざっくり分けると、2つの情報がある。「自分が言いたいこと」と「相手が知りたいこと」だ。それを、どういう順序で言っていくか?

迷ったときは、**「相手が知りたい情報」を先に、**その後で、「自分が言いたいこと」という順序で言っていこう。味子さんのメールを、この順序で並べ替えるとこうなる。

件名 Re: お誘いの件

せっかくお誘いいただいたのですが、

来週は忙しく、無理のようで、とっても残念です。

ほんっとに、ホントに、ごめんなさい。

また、ぜひ誘ってください。
月曜は会議、火・水は広島出張。
金曜はプロジェクトの発表、
土曜は英会話、日曜は大学の同窓会で箱根、と
盛りだくさんですが、がんばります。

昧子

先輩の知りたいであろう「返事」を、考えて決めて頭に、自分の「都合」は後に置いた。これで、わかりやすくはなったのだが、後半の、自分の都合を並べた部分は、相手にとって必要な情報だろうか？　それに、何かまだ足りない。ここには、「相手が本当に知りたい情報がない」のだ。

運をはこぶメール？

例えば、切符売り場などで、

「この窓口は只今使えません」

とふさがっていることがある。これは、お客さんから見て、「じゃあどうすればいいんだ？」と迷う表示だ。

「この窓口は只今使えません。申しわけありませんが2番・3番窓口をお使いください」
とあったら親切だ。さらに、この表示、前半は相手から見て必要ない。
「どうぞ2番、3番窓口をお使いください」
むしろこれだけのほうが、見た人は一発で次の行動に移れる。

相手がいちばん知りたい情報は何か？

味子さんにメールを出した先輩が本当に知りたいのは、おそらく、いつがダメか？なぜダメか？ではなく、「では、いつならいいのか？」だ。こんなふうにしてみたらどうだろう。

件名　Re: お誘いありがとうございます
メール、うれしく拝見しました。
再来週の、2日（水）、または3日（木）あたり、
7時くらいからは、ご都合いかがでしょう？
少し先ですが、この日なら落ち着いて食事ができます。

もし、お急ぎで、来週のほうがよかったら、
土曜8時半、銀座など新橋からアクセスしやすいところなら、何とか行けます。
でも、先輩とは久しぶりだから、せっかくなら、
ゆっくりお話できる日のほうがいいかなと。
お返事おまちしてます。たのしみです！
味子

このメールは、「相手がいちばん知りたい情報は何か？」を考え、冒頭に置いている。以降、相手が知りたい情報を、相手が知りたい順序で書いていき、味子さんの都合はカットしている。

相手が知りたい情報が、知りたい順序で配列されていれば、言葉を飾ったりしなくても、思いやりのある優しい印象になる。

情報は、配列が命。

相手は、メールを見た瞬間、ぱっと知りたいことが入ってくるので、ぱっと書き手に共感できる。コミュニケーションの入り口で、自分のメディア力は上がっているから、以降の言葉は、ずっと相手に届きやすい。長めのメールでも最後まで読んでくれ

る。

多くの場合、相手が、いちばん知りたい情報とは、「何がダメか、どうしてダメか」という否定要素ではなく、「では、どうすればいいのか?」次のアクションを起こすための指標だ。

「では、どうすればいいか?」をひとつだせば、だめな理由をいくつも並べたり、おおげさに謝ったりしなくても、事は運べる。

運は「はこぶ」と書く。人の想いを、せき止めたり待たせたりせず、前へ前へと運んであげる、そのためにちょっとだけ頭を動かしたメールが、運をはこぶ、と言えないだろうか。

2 共感を入り口にする

メールの書き出しにこっちがちょっと「むっ」とするようなことを書いてくる人がいる。「ケンカ売ってんのか?」と読み進むと、そうでもない。最後まで読むと、好意的なメールで、「なんだ、最初からそう言ってくれよ」と思う。

これは、「反感をもたれる→メッセージを伝える→共感を得る」という流れになっていて、もったいない。見切りの早い人には、最後までよく読んでもらえないかもしれないし、後の方はマイナスのフィルターをかけて読まれるかもしれない。

演出として、冒頭で衝撃を与え、効果的にメッセージを届けるということも、時にはあるだろう。しかし、冒頭で衝撃を与えるのと、冒頭で、書き手自身が「感じ悪い」と思われ、メディア力を下げるのは違う。

自分を偽る必要はないが、最終的に共感されることを言っているのなら、それを前にもってきて**「共感を得る→話す」**という流れに持っていった方がスムースだ。

「コミュニケーションの入り口でメディア力を上げておくのはわかったよ。でもそれは、相手にもよる。向こうがこっちのことをちっとも理解しようとせず、いきなり批判してきた場合はどうするんだ？」と思う人もいるだろう。

仕事をしていたり、インターネットのホームページをもっていたり、人前に何か発信すれば、批判にさらされることがある。顔も知らない相手からの言いがかり、これでは、橋の架けようもない気がするのだが……。

「ちゃんと読めよ!」の落とし穴

論田くんのところに、苦情メールが届いた。㈱リメインツーリストでは、インターネットのサイトやメールマガジンでも旅行案内をしている。その中の「アウトドア体験ツアー」の案内を見た人からの苦情だった。

「アウトドア体験ツアー」とは、アウトドア経験がまったくない人を対象に、論田くんが立てた企画だ。未経験者に、野外でのキャンプ、川釣りなどを楽しんでもらう。テントや釣竿など必要な用具はすべて社で用意する。お膳立てされたキャンプ場ではなく、まったく自然そのものの環境を相手にするところが、このツアーの売りだった。

苦情はそこを突いた。

件名　素人にアウトドアって、いったい?

リメインツーリスト殿

まったくの素人に、キャンプさせるっていうツアー、これ、何ですか。

どうなるか、わかってますか。知ってて、やってらっしゃるんですか。

私の実家は、三雲郡の、白霞山のふもと、初川が流れるところです。

アウトドアブームがきて以降、都会から、

いろんな人がキャンプと称してくるようになりました。
これが、ごみを撒き散らしていく。
そのごみの山はどうするか、知ってますか？
地元民が片付けてるんですよ。いいですか？
若者が撒き散らかしたごみを、年寄りが出て片付けるんです。わかりますか？
兄は、アウトドアに詳しいんですが、
「これは素人のしわざだ。本当に自然を愛する経験者は、こういうことはしない」
と言っていました。
こんなことは、言われてから久しいのに、
リメインツーリストの方々はご存知ないんですか。
私はいいんですが、犠牲になる鈴川村の人々のことを考えるとたまりません。
いったいリメインツーリストの人は、自然をなんだと思っているんでしょう。
自然が破壊されても売上げがあがればいいんでしょうか。

自然を愛する一市民より

「くそ！　ちゃんと読めよ！」

論田くんから、思わず声が出た。

ここのところ、数は多くはないが、こうした苦情が寄せられるようになった。こうした苦情に共通しているのは、こちらの案内文を「ちゃんと最後まで読んでいない」ことだった。

案内文を最後までちゃんと読めばわかることだ。参加人数6人に1人の割合で、アウトドア歴10年以上のインストラクターがつく。彼らは、具体的なキャンプ技術の指導だけでなく、自然に接するモラルから、ゴミの片付けまで、環境指導も懇切丁寧に行うのだ。

また、川釣りは、地元の釣り名人たちが指導すると書いてある。鈴川村の協力を得て生まれたツアーだと、住民のみなさんへの謝辞も載せているではないか。

論田くんは、カナダからの帰国子女だ。幼いころからキャンプや登山など自然に親しんできた。いま専門誌に寄稿しているほどアウトドアにくわしい。日本に帰って驚いたのは、キャンプ場や登山でのゴミ捨てなど、環境へのモラルの低さだった。このツアーは、そんな論田くんが、一人でも多くの人に自然に接する楽しさやモラルを体得してほしいと、苦労して実現したものだった。

「自然が破壊されても売上げがあがればいいんでしょうか、って、冗談じゃない！」

論田くんは、悔しさがこみ上げた。

専門のインストラクターをつけると値が張る。コストを下げるために並大抵でない苦労をした。社に入る利益も薄い。インストラクターの人たちも、論田くんの熱意に共感して、決して高くはない料金で協力してくれた。

最初は、いぶかしがっていた鈴川村の人たちも、何度か足を運ぶうち、村のピアールにもなると快く引き受けてくれた。過疎が進む鈴川村、川釣り指導にあたるおじさんたちも、いまではツアー客との交流を心待ちにしている。

「こんなやつに、いちいち丁寧に説明していられるか！」論田くんは、怒って、思わずこんな言葉をパソコンにたたき込んだ。

件名　ご質問の件について

お客さまにこう申し上げるのも失礼かとは存じますが、

あなた様は、このツアーの案内文をよくお読みになっておられないようです。

内容をよく確認なさらないで、批判をなさっています。

最近、案内文を読めばわかることを、

よく読まないで批判してこられるお客様が目立ち困っております。

批判をなさるのでしたら、せめて、
案内文をもう一度最後まで、よくお読みいただき、
それでもまだ問題があるようでしたら、
どうぞ、根拠を明らかにしてご意見くださいますよう、お願い申し上げます。
㈱リメインツーリスト　国内旅行事業部

こう書きたい気持ち、わかる人も多いのではないだろうか。論田くんの考えは、読めばわかることだから、相手にもう一度読ませようというものだ。

話が通じないとき、「人の話をちゃんと聞け！」と言いたくなることがある。自分が丁寧に書いた文書をよく読まずに言いがかりをつけてくる人には、「ちゃんと読めよ！」と怒りたくもなる。

しかしこのケース、私は、苦情主が素直に読み直し、考えを改めるとは思えない。コミュニケーションの入り口である「書き出し」を見てみよう。ここでメディア力が値踏みされる。「あなたは読んでない、確認しないで批判している」と、これは相手への否定だ。頭から自分を否定してかかる人間の話を、まともに聞こうと思うだろうか？

すでに相手は、リメインツーリストを無知で拝金主義、自然を破壊する許せない会社だ、と思っている。会社のメディア力が下がっているのに、これではとどめだ。だから、この後の論田くんの、「案内文を読み直してくれ」という行動指示は、反発されるか、無視されるかだ。

仮に、相手が、素直に読み直したとしよう。

しかし、読めばわかることが読めていない、ということは、相手は、文章をよく読む習慣がないか、思い込みで文章を読んでしまうか、とにかく「読解力」に問題がある可能性が高い。読解力によって生じた問題を、相手にもう一度読ませること、つまり、相手の読解力に頼るカタチで解決しようとするのは、得策だろうか？

読み直したとしても、また、別の部分を誤解し、別の部分につっかかってくるかもしれないのだ。

百歩ゆずって、相手が読み返し、自分の不注意に気づいたとしよう。そこで相手の非が明らかになる。正しい指摘は、相手の自尊心を傷つける。あれだけ苦情をぶったあとなのだ。感情的な抵抗もあって、相手はやはり、会社に対して好印象は持たないだろう。

「ちゃんと読め」「ちゃんと聞け」では、なかなか問題が解決しないのは、こういう理由だ。

論田くんの返信の、**「相手にとっての意味」**はなんだろう?「相手を傷つける」ではないはずだ。「字義どおりの訂正をする」これもまだ足りない。**「会社のメディア力を回復する」**意味でありたい。できれば今後、お客さんになってもらえたら、もっといい。

そこで考えるべきは、少々読解力に難のある相手に、どうやってメッセージを伝えるか。その前に、どうしたら相手に、「この人の書いていることを読もう」と思ってもらうかだ。

それにはやはり、書き出しのところで、自分のメディア力をあげること、共感から入っていくことを考えたい。会社のメディア力が下がっているから、相手からの共感を得ることは難しい。だから、こちらから、相手に共感を示していってはどうか。

「え? こんなに自分の気分を害した相手のどこに共感するのか?」

と論田くんは思うかもしれない。でも、私はお世辞を言えと言っているのではない。共感できることをメールの冒頭に置いてみたらいいといっているのだ。共感できることとは、本当にないか?

もう一度、「この人が本当に言おうとしていることはどういうことか」をつかむ気持ちで、相手のメールをじっくり読んでみよう。そう。「相手にもう一度読め」ではなく、**「自分の方がもう一度読む」**のだ。想像力を働かせて相手の思考、想いに、いったん沿ってみよう。

嫌だろうけど、わかるけれど、「相手の読解力に頼る」より、「自分の読解力に頼る」方が確実だ。

腹が立って、その日には苦情メールを読み直せなかった論田くんは、翌日やってみた。

やっぱり、論田くん、読めば感情的抵抗が突き上げてくる。

しかし、そこをふんばってほしい。最初に怒って書いた返信メールの冷たさ、あそこから相手に伝わるのは、論田くんにふさわしいメディア力だろうか？　無理していい人に見られる必要はない。でも等身大の自分を伝えてほしい。冷たく慇懃無礼な論田くんと、真摯にこの仕事にかけてきた論田くん、日ごろ、情報占有率が大きいのはどちらだろうか？　日常の大部分を占める自分の方を前面に出して、自分が自分らしく伝わって、それで通じないならしかたがない。だが、嫌な人間だと誤解され、それで話が通じないんであれば、その方が癪だ。

そこで、論田くん、相手の思考を追体験するように読んでいくと、二つ共感するところが出てきた。一つは、「故郷の自然を破壊されてくやしい」という気持ちだ。街からきた若者のゴミを、おじいさん、おばあさんたちが苦労して拾っている。論田くんも、日本に帰ってきて初めて登山したとき、そのゴミの多さに呆然とした。こういうことをする奴が憎くて、くやしくてたまらなかった。

これは、うそをつかなくても共感できる。

そして、もう一つは、この人の里である三雲郡の自然の美しさだ。専門誌で初川や、このあたりの景色を観たことがあり、白霞山は、トレッキングに行きたい山の一つだ。そこが、こんなに荒らされたとは知らなかった。自分も悔しい。

そこで、共感から入る形でこんなメールを書いた。

件名　ご安心ください

三雲の初川の清らかさ、白霞山の美しさは、私も聞き及んでいます。

その自然が汚されているとのこと、胸が痛みました。

申し遅れましたが、わたくし、このツアーを企画した論田宏と申します。

この企画の原点は、お客さまが感じられたような、ゴミ問題への痛みです。

私も、同じような経験をし、どうしたらより多くのお客さまに、自然への接し方を知っていただけるか、と考えました。

そこで、アウトドア歴10年以上のベテランインストラクターがつき、お客さまに、自然に接するモラルからごみの片付け方法まで、楽しみながら体得していただける本ツアーを企画いたしました。

ですから、私どものツアーの後には、塵ひとつ残さないとお約束できます。鈴川村の自然を荒らすことはありません。どうぞご安心下さい。

㈱リメインツーリスト国内旅行事業部　企画課　論田　宏

この書き出しなら、相手も、「どんなひどい会社かと思ったら、あら、意外と話がわかるわね」と、あとの言葉を読もうとするのではないだろうか。

このメールでは、読解力を頼みにできない相手に「もう一度読め」と言うのではなく、もう一度読んでくれるなら「もとの文章からこれを読み取ってほしかった」ということを、できるだけ短くわかりやすく、自分の言葉でまとめ直して書いている。これなら長い文章を読み返させるよりはるかに楽で、読解力がない人にもだれにもわかりやすい。

そして、このメールの「相手にとっての意味」は、間違いの指摘ではなく、「安心を与える」になった。結果として、リメインツーリストのお客様に対するマインドシエアを上げるという意味を持った。

相手が、不安がっていたのは、旅行企画そのものでなく、こういう企画を立てた会社そのものだ。「こんなにも、アウトドアのことに無知で、金儲け主義の会社を、この先のさばらせてよいものか」ということではないだろうか。だから、うまくすれば、相手の不安解消が、会社のメディア力回復にもつながり、一気に問題解決ができる。

筋違いの批判をしてくる相手に、カッとなって我を忘れれば、相手に「ほら、怒った。やっぱりこの程度の器だ」と思われ、メディア力を下げるだけだ。こういう場合こそ、いつもの自分、つまり90%の日常の自分を失ってはいけない。細々した訂正をして、結局相手のプライドをくじくよりも、相手から見た自分のメディア力を回復するにはどうしたらいいか？　つまり、客観的な少し大きなところから観て、どうしたら自分という人物に共感してもらえるだろうか？と考えていくと橋は架けやすい。相手への誠実さがカギになる。

3　何を言うかより、どんな目線で言うか

家族とテレビを見ていると、あーだ、こーだ、とつい、いちゃもんをつけることがある。

「このCMは、何がいいたいのかわからない」

「このドラマ、あの女優がだめ」

ひとしきりとうとうと文句を言った後は、なにか後味が悪い。なぜだろう？

どうも、「自分の目線」に問題があるようだ。

最初は、一視聴者の目線で、「(番組を)観ていて、(私は)何だかバカにされたような気分になった」と言っている。

それが、調子づいて語っているうちに、「この番組は、視聴者をバカにしてる」という表現に変わり、しだいに「番組はこうあるべきだ」と高いところからものを言ってしまっている。

私の目線が、ただの「私」から、頼まれもしないのに「視聴者代表」へ。しまいに

は、つくり手を一段高いところから見降ろすようなところへと動いているのだ。そのままエスカレートすると、「おまえはテレビ評論家か？　テレビ博士か？　おまえ何様？」というところまで、目線が上りつめる。人が苦労してつくったものを高いところから見て裁く。

何かを批判していると、饒舌になる人が多い。そして、饒舌になるにしたがって、目線が高くなっていくように感じる。

自分の身の丈を越えたもの言いは、逆に、自分というメディアのサイズを小さく見せる。

自分以上の目線から話す人物を、周囲は、「自分の経験や力量さえわきまえられない人」、と思う。だから、その人が言っている内容さえ、どこかうそくさいと感じてしまうのだ。

共感の橋を架けたいなら、目線が肝心だ。

相手との目線「これをどうやって伝えよう？」

論田くんのところに、ある日、同期の長井くんが来て、こう言った。

「どんなことを書けば、お客さんは歓んでくれるのかなあ?」

長井くんは、論田くんと同じ企画課の3年目社員だ。同期の中では、優秀で通っている。プライドが高く、いつも自信満々の長井くんが、珍しく弱気になっていた。

「いま、広報誌に載せる原稿を書いてるんだけど、もう3回もダメ出しくらってさあ。」

長井くんは、先日取材に行った静岡の紹介記事を書いているらしい。ねらいは、記事を読むお客さんに「静岡っていいな、行きたいな」と思ってもらうこと。そういう気持ちになってもらったところに、ダイレクトメールを送って、静岡方面のツアー募集をするという流れになっている。

ところが、なかなか広報のOKが出ないらしく、困った長井くんが、「どんなことを書けば、お客さんは歓んでくれるのか」と論田くんにもらしたというわけだ。

心配した論田くんは、あとから長井くんにこんなメールを書いてみた。

件名　記事のこと

長井くん

ダメ出しをくらったという記事、読ませてもらった。

さすが長井くん、静岡の名所からトレンドスポットまで抜けモレなく入っているし、よく調べていて、エライ！

でも、ここは、長井くんのために、あえてはっきり言わせてもらうよ。

これを読んでもお客さんは、静岡に行きたいとは思わない。

面白み、楽しみに欠ける。

前から思ってたんだけど、長井くんは、生真面目にやりすぎるんだよ。

僕の尊敬する心理学の西湖匡先生の、『追いつめられる心理』という本に、

「優秀でも遊びがないものに、人はわくわくできない。

枠からはみ出す勇気を持とう。」

とあった。少々だめな原稿だっていいんだよ。

自分が感じた静岡の魅力を、ど～んと伝えてみようよ。

そのために、角度を変えて、もう一度静岡を見てみよう！

論田

論田くん、自分では結構いいことが言えたと思っていたので、先輩の理子さんに事情を話して、メールの文章を見てもらった。ところが、

「まー、おおきなお世話……」

と理子さんが、冗談めかして笑った。論田くんは、

「いや、ここはキツイことでもはっきり言ってやったほうが、あいつのためだと……」

と不服そうな顔をした。理子さんは、多くを語らず、

「同期から、こういう目線で見られたら、長井くんつらいんじゃないかなあ」と。

「目線？……」論田くんは黙った。

このメールの「相手にとっての意味」は、「批評」または、「アドバイス」だ。これだと、どうしても高いところから相手を見下ろす感じになってしまう。実際、「ぼくは行きたいと思わない」という自分の目線ではなく、「お客さんは思わない」と、一段高いところからの批評になっている。論田くんが、取材記事のプロとか、長井くんと上下関係にあればいいのだが、プロの記者でもない、それも同期に、高いところからものを言われるのは、腹が立つ。

論田くんの「意見」は、「自分が感じた静岡の魅力を伝えよう」。そして、「根拠」

に、尊敬する先生の言葉を引用している。これも、目線が高くなる原因だ。文献とか、何かの権威を借りてくると、自分の身の丈よりエラそうな、押し付けがましいことを言いやすい。

このままでは、論田くんの一番言いたいことが伝わらない。

どうしたら、長井くんの感情的抵抗に阻まれずに、このメッセージを伝えられるだろうか？　論田くんはこう書き直した。

件名　僕も悩んでいたので

僕も、長井くんと同じようなことを悩んでたんで、聞いてもらっていいだろうか。

僕も、寄稿しているアウトドアの専門誌の編集者さんと、この前、「取材して記事を書く」ことの難しさの話になった。

自分が取材して面白い、と思ったことと、読者から見て、面白いことがなかなか一致しない。

例えば、滝なら滝で、読者が、知りたいことと僕が事前にいろいろ調べ、現場に行って、実際に滝を見てこそ、感じた面白さには、温度差がある。
だから、最初は、読者が求めていそうなことは何か？
あれを書こうか、これを書こうか、迷った。
でもそうやって書くとなんか違うようで、もやもやしていたある日、
ふと思ったんだ。

あれを書こうか、これを書こうか、ではない、
本当のことを書くためにどうしようか、だと。

滝なら滝で、最も典型的な説明をするだけなら、
僕でなくとも、きっとだれかが、もっと上手にやってくれる。
その時そこに行って、僕しか、つかめなかった面白さを、
読者に伝えるために、どうしようか、だと。そのために、
読者との温度差をどう越えるか、どういう手続きで説明するかを、考え抜こうと。
いま、僕はそう思っている。読んでもらってありがとう。

論田

目線を比べてみると、最初のメールは、長井くんより高く、改作したものは、同じ目の高さになった。最初のメールは「長井くん」を見ているが、改作したものは、「長井くんと同じ問題」を、自分の体験に立脚して見ている。

「相手にとっての意味」は、「アドバイス」から、同じ問題意識を持つ仲間に、「自分の考えを聞いてもらう」に変わっている。

悩んでいる人を見ると、どうしても、何かアドバイスしようと考える。相手を変えようという立場で話すと、相手の非を指摘したり、相手を高いところから見たり、相手に「変われ」と押し付けたりしやすい。論田くんも、結局は真面目な長井くんに「遊び心を持て＝変われ」と言っている。しかし、変われという言葉を押し付けるだけでは、人は変わらない。

そこで、矛先を自分に向けてみる。問題に対して自分はどう変われるか？　変わったか？

改作したメールは、自分はどう変わったかを相手に見てもらうという立場になっている。見下ろすことも、押し付けもなく、参考にするもしないも相手の自由だ。

「ときには相手を傷つけてでも、間違いを指摘してやらねばいかん」とか、「人を傷つけることに臆病になってはいけない」と言う人もいるだろう。私もその考えに反対ではない。

だが、それをやるには、それなりの相手との関係性を築いているとか、自分がその分野のプロであるとか、何か「言う側の資格」のようなものがいると思う。

そうでないと、ただいたずらに相手を傷つけるだけで、相手の感情的な抵抗にあい、肝心の言いたいことが伝わらない。

問題は、「言いにくいことをはっきり言う、言わない」ではないし、「相手を傷つける、傷つけない」でもない。問題は、メッセージをどう伝えるかだ。言いにくいことをはっきり言えたら伝わるとか、傷つけたら伝わるとか、伝えることは、そんな簡単なものではない。自分の想いを言葉にできた、言えたと喜んでいても、それが相手の解釈によって変わり、相手との関係性によって意味が変わり、相手の感情によって膨らんだり、歪んだりする。メッセージを、できるだけ自分の中にあった通りに、相手の中に再現するにはどうしたらいいかを考えたい。例えば、「謝れ」と言われると、人は謝りたくなくなる。相手に、心の底から「悪かった」と思ってもらうには、どうすればいいだろうか？

論田くんのメッセージも、「お前は真面目すぎる。自分が感じた静岡の魅力を、伝えてみようよ」と言うのと、論田くん自身が問題に立ち向かう姿を見せるのと、どちらが、相手に共感を持って受け入れられ、メッセージが送り手の気持ちに忠実に再現されるだろうか。

そうこうしているうちに、長井くんのところに、感治課長がやってきた。

「長井くん、この前、静岡に取材に行ったんだって？　実は、かみさんの両親が今度そっち方面に旅行、行くらしいんだ。かみさんの母親が還暦でさあ。いろいろ教えてもらっていいだろうか？　お願いします。」

と頼んだ。感治課長は、長井くんと広報のやりとりも知らず、のんきだ。だが、長井くんは、感治課長の求めに応じて静岡旅行のアドバイスをしているうちに、いきいきしてきた。そして、記事を書く突破口をつかんだらしい。

結果的に、今回、長井くんの潜在力を一番引き出したのは、感治課長だった。論田くんの改作前のメール↓改作後↓感治課長の目線を追うと、目線が長井くんより高い↓対等↓低いとなっている。

感治課長と長井くんは、上司と部下だ。ところが、静岡旅行に関しては、よく知らないものと、よく知るものという軸で、立場が逆転している。長井くんは、その関係性の中で静岡のことを自信をもって課長に教え、それが、記事を書く突破口になった。

関係性は、ひとつではない。人間が多面的な存在だからだ。たとえば、上司というのは、部下に権力も影響力もある立場だ。でも、常にその立場から発信するのがいいとは限らない。同じ悩みをもつ人間として語れば、関係はフラットになるし、相手の得意分野に突っ込んでいけば、自分の立場は低くもなる。

目線が高いと思うとき、無理に腰をかがめたり、相手にすりよったりしなくても、新しい関係を発見していくことで、目線は自ずと変わるのだ。

共感の方法とは、外から観た自分を知り、相手の気持ちを想い、自分と相手の関係を考え抜くことだ。

では、いよいよラストの第5章で、信頼の構造に迫ろう。短いやりとりで、なぜあの人は信頼されるのか？

第5章
信頼の条件

短いやりとりで、
なぜあの人は信頼されるのか？

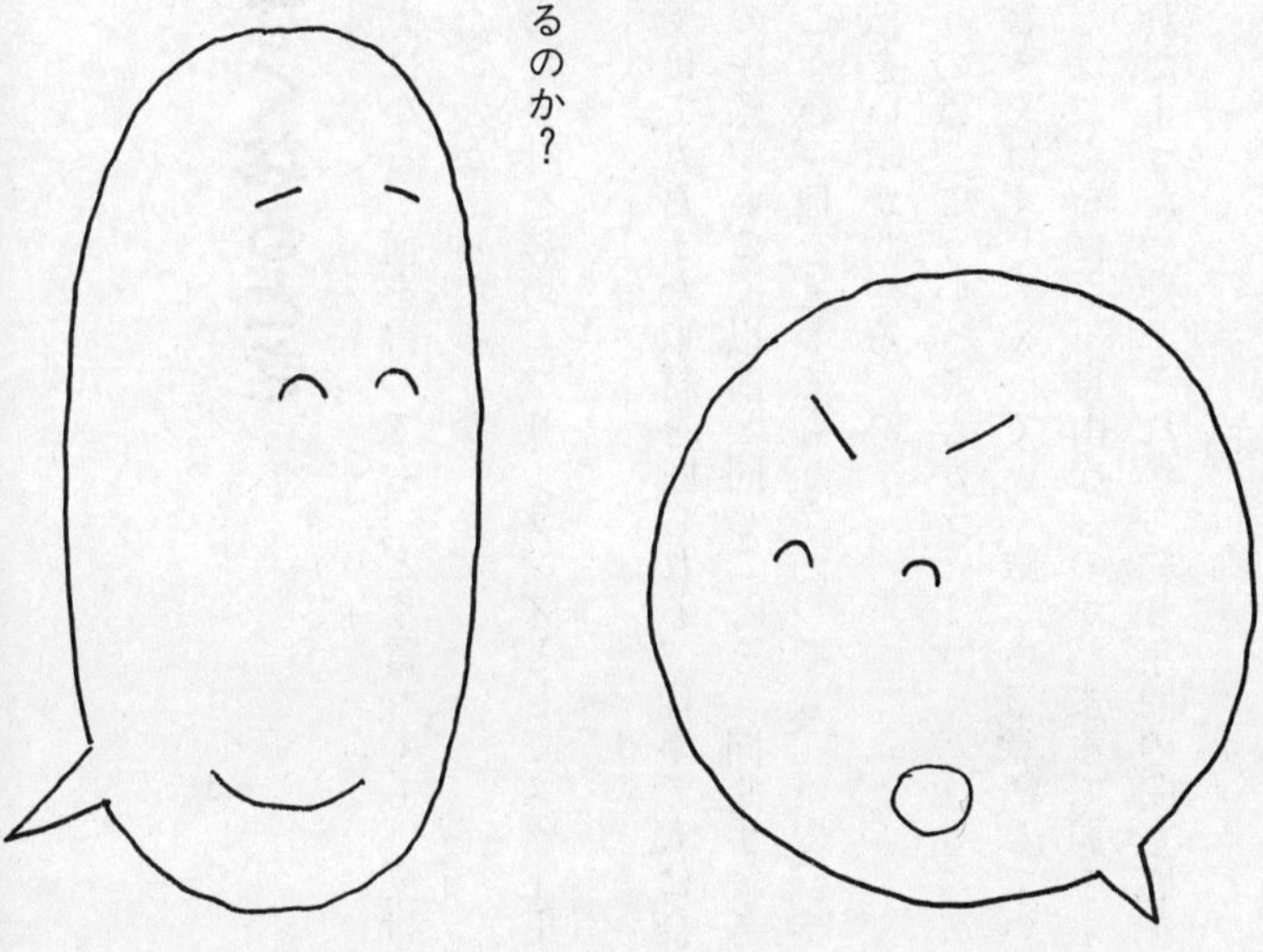

1 言葉が通じなくなるとき

自分の言葉が突然、無力になる。何を言っても、どう言っても、受け入れられない。あなたはそんな経験をしたことがあるだろうか?

私はある。16年近く勤めた会社を辞め、フリーランスとしてスタートしたときのことだ。

以前なら、名刺一枚で受けてもらえた取材を断られる。仕事で人に会うにも、以前の何倍もの労力と、細心の注意がいる。以前と同じことを、同じ手続きで言っても、相手はいっこうにピンとこない。何を言ってもどう言っても、いや、時には言うほど、ますます相手は私をいぶかしがる。

「メディア力がないというのは、こういうことか……!」

今の日本で、社名や肩書きをはずしてやっていく厳しさは覚悟していた。だが、自分の言葉が力を持たないとはこんなにも不自由なものか、まるで翼をもがれ、何かに首根っこを押さえつけられたようだった。それから約2年間の閉塞感を何と名づけたらいだろう。

ところが、独立して3年経つころから、私は再び、自分の言葉に力が戻ってくるのを感じていた。そしてわかったのだ。言葉が無力だったのは、肩書きがないからでも、所属がないからでも、世間の理解がないからでもない。

言葉が通じないのは、通じるだけの信頼関係がないからだ。

会社にいたころ自由に言葉が届いたのは、会社が持つ社会的信頼の上に、16年にわたって築いてきた人との信頼関係があったからだ。

会社を辞めた時、私はそれをいったんリセットした。言葉が通じなくなるのも当然だ。新しい環境で、信頼関係ゼロからスタートしたのだから。会う人はことごとく私を知らない。知らないからすぐには信頼できない。私が信頼されなければ、私の言葉も無力だ。

いちいちが初めての相手で、いちいちが「自分は何者か」説明することからのスタートだ。相手は私の背景をまったく知らない。意を尽くして説明しても、見くびられたり、誤解されたり、その度、傷つき消耗する。言いたいことが言えないのも当然だ。相手が、これまでの経緯から私を全体的に見てくれることなんてありえない。その場その時、目に見えたアウトプットだけで、私という人間が値踏みされる。いちいちが、後のない真剣勝負だ。

この息詰まるような状態から脱出するには、自分の手でコツコツと信頼関係をつくりあげていくしかない。1人、また1人……。3年経ち、それらがつながって新しい人々との信頼のネットワークが立ち上がってきたから、私の言葉は、ゆっくりと力を取り戻したのだ。

通じあえないと苦しむとき、その前提となる信頼関係はあるのか？　初対面でも、長い付き合いでも同じだ。言葉が無力であるとき、前提となる信頼関係そのものがぐらついている。まず、自分が信頼されなければだめだ。

言葉は、信頼関係の中ではじめて力を持つ。

メディア力とは何か？

とかく「イメージ」ととられやすい。しかし、いったんリセットし、再び創り始めた今だからこそわかる。メディア力とは、そんなふわふわしたものではなく、その人の歴史の中で、だれとどんな関係を築いてきたか、その結果どのように想われているか。それらの集積として、どのような人のネットワークを編みあげているか。

メディア力とは、その人固有の「人との信頼の体系」だ。

この章では、コミュニケーションの前提として欠かせない「信頼」をどう得ながら、相手にあなたのメッセージを伝えるかを見ていこう。

2 はじめての人に自分をどう説明するか？

自分のことをまったく知らない人に、自分をどう説明し、信頼してもらうか？

基礎はあとでお話しするとして、いきなりこんな「離れ技」から見てほしい。アルピニストの野口健さんが、一芸入試で、みごと合格をつかんだ技だ。

自分をなにで証明するか？

亜細亜大学の一芸入試は、その名のとおり、自分の「一芸」を試験官にプレゼンテーションして選抜される。学力試験はいっさいない。全国各地から、一芸に光る受験生がやってくる。

試験当日、会場に集まった輝かしい受験生たちが、順に一芸をアピールしていった。

「私は、インターハイで優勝しました！」

「私は、国際コンクールで入賞しました！」

という具合に、まばゆいばかりの経歴が、次々と披露される。

野口さんは、はじめ、びびった。野口さんいわく、高校まで勉強で落ちこぼれ、不良のレッテルを貼られていた。一芸入試も、学科試験がないという、なしくずしの理由で受けた。停学をくらったときに「登山」に出会ったものの、このときまだ大きな山を2つ登っただけ。登山家として誇れるような実績も腕もなかった。

「こんなすごい受験生の中で、自分の何をアピールしろと言うのか？」

コンテストでの受賞、試合での勝歴、免許とか、級とか段とか、IQとか、自分を客観的に証明するものがないとき、どうやって自分のことを信じてもらえばいいのだろう？

野口さんは追いつめられた。しかし、自分の番がくるまで、他の受験生の輝かしい一芸をさんざん聴かされているうちに、うんざりしてくる。

「これは自慢だな」

「過去」は確かにすごい。でも、だからどうだと言うのだろう？　受験生たちは、輝かしい過去を自慢しているだけだ。自慢もえんえんと聞かされるとあきる。「試験官は？」と見ると、やっぱり、自慢のオンパレードにあきている。

野口さんの番が来た！

野口さんは、視野を過去ではなく、「未来」に向けた。入学後自分はどうなるかを書き出して伝えた。

1990年　8月　ヨーロッパ大陸、モンブラン登頂
1990年　12月　アフリカ大陸、キリマンジャロ登頂
1992年　9月　オーストラリア大陸、コジアスコ登頂
1992年　12月　南米、アコンカグア登頂
1993年　6月　北米、マッキンリー登頂
1994年　12月　南極、ヴィンソンマッシーフ登頂
1996年　1月　ロシア、エルブルース登頂

1997年　5月　アジア、チョモランマ登頂
私を大学に入れてくれたらこうなります！

野口さんは、7大陸の最高峰制覇を期限入りで予告した。自慢できる経歴がないから、それしかしようがなかったというが、他の受験生とはまったくちがうプレゼンテーションに、試験官たちは、身をのりだした！　拍手喝采。（＊資料は野口さんの談話をもとに山田が再現したもので、年月などの細部は入試時のプレゼン資料と異なる箇所があります。）

WILLとSKILL

野口さんは、見事合格した。入学後、予告どおり、史上最年少で7大陸の最高峰を制覇した。大学は、未知の若者を信頼して機会をひらき、若者は、信頼に応えて大学の名誉を上げた。

野口さんの話だと「自慢組」は落ちたそうだ。試験官は、受験生たちの輝かしい「スキル」より、野口さんの「ウィル」に賭けた。

SKILL　＝　熟練、技量、腕
WILL　＝　意志

経験も実績も、それゆえまだ実力も、何一つ持たない若者が、自分を「意志」で証明し、輝かしい経歴の持ち主より人の心をつかんだ。これは事実だ。

僕のWILLを買ってください！

これが、「僕の夢をきいてくれ」ではなかったところがミソだ。いかにでっかい夢を語ったとしても、単なる夢物語ととられてしまったら、うさんくさがられるだけだ。

「ぼくの夢は、7大陸の最高峰ぜーんぶ登ることです」

「へぇー、すごいね」

で終わってしまう。野口さんのプレゼンテーションには、夢とWILLを分けたポイントがある。それは、「時間」を入れたことだ。

時間を入れるには、そこに絡むさまざまな事柄への判断が求められる。期限を入れた以上、果たせなかったときも明らかだ。だからこそ、時間を刻んだ野口さんのWILLは、潔く、説得力がある。失敗のリスクをとるからこそ信頼されるのだ。

いっさい修飾は用いず、「いつ？　何を？　どうする？」だけで書いているのも、どんな人にもわかりやすく、解釈のブレがない。

よくある「目標に向かってガンガン突き進みます！」とか、「かたっぱしから高い山をジャンジャン登っていきます！」というような表現と、与える印象の差を見てほしい。

肩書きや経歴に頼れないことは口実にならない、頭をつかえば、身ひとつで信頼してもらうことはできるのだと、野口さんの例は教えてくれる。

3 信頼される自己証明の条件

では基礎に立ち戻って、まず、信頼されない条件から考えてみよう。ひっくりかえせば信頼の条件が見えてくる。

信頼されない条件とは？

例えば、こんな人がいたら、あなたは信頼できるだろうか？

「昨日の私は、今日の私ではない。昨日までやっていたことは、ぜんぜん今日の私に結びついていない。明日の私もぜんぜん違う。今日やっていることは、何一つ、明日の私につながらない」

では、いつのあなたを信じたらいいの？　これからどうなってしまうの？　あなたはなんなの？　となってしまう。

これは、つながりの危機だ。

過去から現在そして未来へと、連綿と続く時の中で、その人がなんの脈絡も持たず、ブツッ、ブツッと途切れた感じがする。こういう状態だと不安になる。

「それって、フーテンの寅さんみたいでいいじゃない」という人、いや、そうではない。

寅さんは、昔からフーテン、今日もフーテン、明日からもずっとフーテンと、根っからのフーテンで、とても連続性があるのだ。だから、まわりの人は「寅さん」と言えば、「ああ、あのフーテンの！」と、安心して近寄っていける。

寅さんが日替わりで、昨日は「フーテン暮らしが最高」、今日は「安定が一番だ就職だ」、明日は「やっぱ俺はビッグになる」とコロコロ変わったら、うさんくさいだろう。

時間をタテとすれば、ヨコにもつながりの危機はある。例えば、こんな人がいたらどうだろう？

「私は人や社会と関わっていない。私のことを知っている人もいない。」

こういう人も、じっくりつきあって中身がわかれば信頼は生まれる。しかし初対面で、人とも社会とも、何のつながりもなく切り離された存在だと言われたら、なんとなく不安になるのもしかたがない。逆に、初対面の人に、「福祉の仕事でとびまわっているので、知り合いならいっぱいいますよ。ああ、あなたの住んでいらっしゃるあの街にも、3人ばかり……」と言われる安心感と比べてみよう。

はじめての人から信頼される条件

これらの条件をひっくり返すと信頼の条件が見えてくる。ポイントは「つながり」だ。

過去から現在そして未来へとつづく時間の中で、あなたの連続性が感じられること。
人や社会とのつながりが見えること。

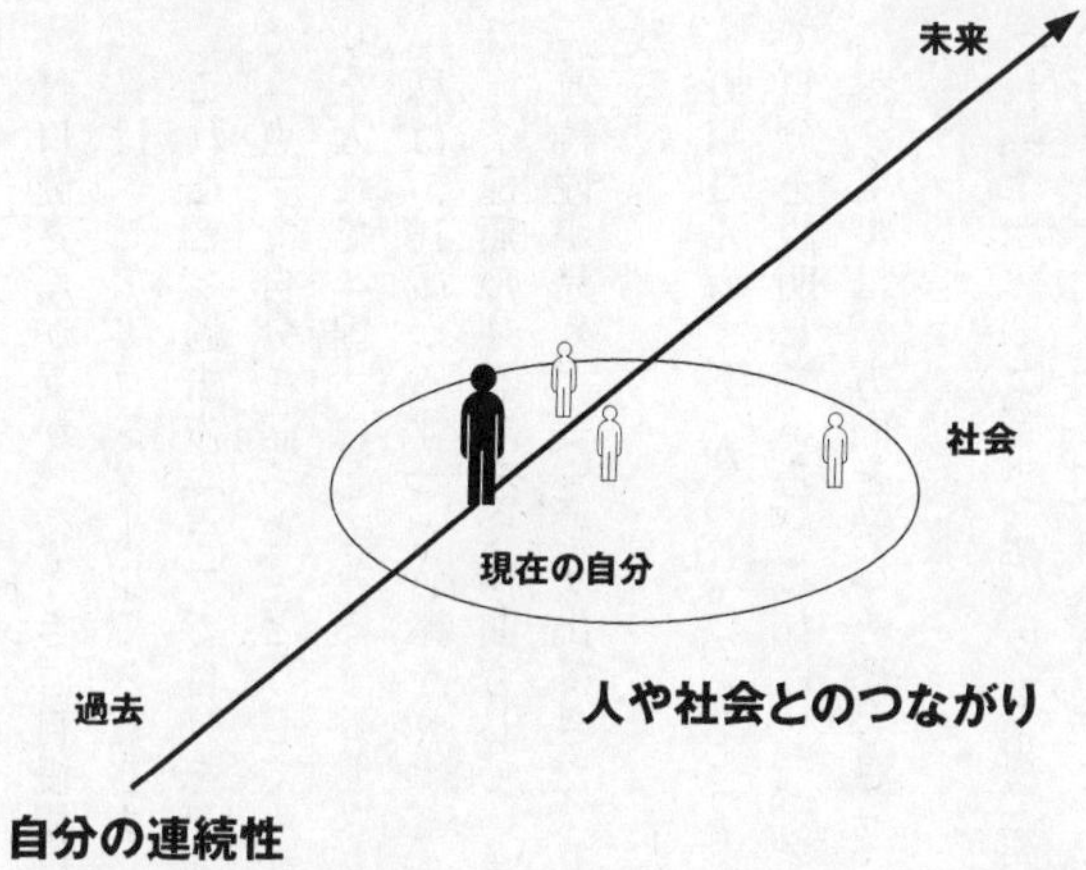

入試のときの野口さんも、登山を通して、高校から将来への連続性を伝えている。まずは、上の図で覚えておこう。

会社の名刺を見せれば、一発で信頼してもらえるという人は、会社がもつこのようなタテ・ヨコのつながりのおかげだ。すなわち、会社の歴史・将来性・社会性などが、広く人々に認知されているから、あなたは説明をすっとばし、自由に動きまわれるのだ。

逆にそこをショートカットできない人や、会社人としてでなく個人でふるまいたいときは、この図のようなつながりをしっかりと自分で説明していけばよいということだ。

時間のつながり——点より線、線よりベクトルで自分を語る

野口健さんが受かったとき、自慢組は、なぜ落ちたのだろうか？

「私は、ピアノコンクールで入賞しました」（過去）

これだと、過去の「点」で自分を語っているに過ぎない。時の流れから切り離された「点」で自分を語ると、どうしても頼りない感じになる。そこで現在までのつながりを入れて「線」にしてみる。

「私は、10歳からずっと音楽をやって、高校のときピアノコンクールで入賞し、現在は、7種類の楽器演奏や作曲もしています」（過去―現在）

連続性が見え、安定感が出てきた。しかしまだ、だからどうなのか、という疑問が残る。

野口さんは、「だから、この先どうしたいか？」、つまり、現在から未来への方向性で自分を説明している。これは、「ベクトル」だ。

ベクトルは、方向と勢いを感じさせ、さらにその先を想像させる力がある。つまり、

「↑」このようにベクトルで語れば、うまくいけば、

「……↑」相手にその先のことまで想像してもらえるということだ。

野口さんの説明を聞いて、「将来は日本をしょって立つ登山家になるかも」と感じた人がいたら、それが将来性だ。

点より線で自分を説明することで連続性が伝わり、さらに、これから行きたい方向をベクトルで説明することで将来性が伝わる。

社会のつながり――モノより人とのつながりで自分を語る

「お仕事は？」と聞かれて、「コンピュータ関係です」というようにモノで説明する人がいる。これでもいいのだが、相手にイメージが伝わらないときは、

自分の仕事は、だれに？　どのように役立っているか？

で説明するといい。私も新入社員のころは、仕事を聞かれて「教材をつくってます」と答えていた。そのころはまだ、仕事を「モノづくり」ととらえていて、実際その域を出ていなかったと思う。やがて、だれに、どう役立っているのかを「小論文編集を通じ、全国2万5千人の高校生の、考える力・書く力を伸ばすサポートをしています」というような、人のつながりが見える説明をするようになった。

すると、依頼先にも話を通しやすく、「高校生に喜んでもらえるなら」と意欲的に引き受けていただけるようになった。

私がこのように言うと必ず、「そういうふうにお客のはっきりした仕事はいいよなあ」という人がいる。自分の仕事は、人や社会とのつながりが見えにくいと。しかし、そうだろうか？　造っているのは「モノ」だという人も、直接お客さんと顔を合わせることがない人も、仕事である以上、かならずそれを待っている「人」がいる。それを発見するいい問いがある。

自分は、何で食って生きているのか？　お金の流れを追ってみる。

お金は社会に通用するものだ。その流れを追えば、自分の仕事の社会との接点や、社会での循環が見えてくる。

自分が食べていっているお金は、もともと、だれのお財布から出てきて、どこをどう流れて、自分のところに入ってくるか？　人がお金を払うとき、なにがしかの共感が生まれている。何に対して共感が生まれているだろうか？

「自分は、部品をつくって親会社に納めるだけだ」という人も、親会社はその部品を何に使い、最終的には、いったいだれのお財布から、何に共感してお金が支払われて、自分のもとに巡ってくるのか、ルーツをたどると「人」とのつながりが見えてくるはずだ。

実践1――ビジネスでの自己紹介、名刺を渡したその後に

仕事では、通常、このような自己紹介をする。

「㈱平成医療機器、営業の田中です」

社名・所属・名字、または、社名・名字。このあと、自分についての説明を求められたら、何を言えばいいのだろう？　こんなひと言を添えてみる。

「㈱平成医療機器、営業の田中です。お客さんに愛される営業がモットーです」

これで通れば何も問題はないが、これで弱いなと思うとき強化するポイントは点から線だ。

「平成医療機器の田中です。私は、医療機器の技術者を3年やって営業にきました。ですから技術面をよく理解した営業ができます」　（過去―現在）

なるほど、技術畑の人なら取引先から専門的な相談がきても大丈夫、と頼もしい感

じがする。転部や転職は一見、その人の連続性が途切れるように思われがちだが、つながりを見つけることで、かえってこの人の連続性が強められている。あるいは、

「平成医療機器の田中です。今、医療現場のニーズと技術開発者の想いに距離があるなと感じています。だから、医療現場と技術者の架け橋になれるような営業マンを目指しています」　（現在→未来）

と、いまから未来へ向けてどうしたいかをベクトルで示すことで、勢いや将来性を感じる。2つをつなぐと、理想の自己紹介になる。

「平成医療機器の田中です。私は、医療機器の技術者を3年やって営業にきましたので、技術面をよく理解した営業ができます。そこで今、医療現場のニーズと技術開発者の想いに距離があるなと感じています。ですから、医療現場と技術者の架け橋になれるような営業マンを目指しています」　（過去―現在→未来）

自分はこれまでどのような仕事をしてきて、その結果、今どうなのか。だから、こ

れから将来どうしたいか、という田中さんの主旋律が伝わってくる。
ここで、だめな例をあげておこう。

〈悪い例〉

「平成医療機器の営業、田中です。今、がむしゃらにがんばってます。3年後は、今の契約数を5倍にして見せます。」

たしかに、「今」と「未来」のことが盛り込んである。しかし、これは点と点だ。ほしいのは、「つながり」だ。今やっていることが、3年後にどうつながるのか聞き手にイメージできないため、「契約数5倍」がうそっぽく響いてしまう。今、具体的に何に力を入れているか？ それがどのようにつながって3年後の契約数5倍になるかを説明したい。

実践2――カジュアルな場での自己紹介、3つのポイント

新人歓迎会やプライベートなどでは、自己紹介に決まりなんてないわけだから、思うようにやればいい。だが、気軽にやっていい、ということと、自分らしさが伝わら

なくていいことは別だ。

自己紹介は、意外に印象が強いものだ。それをきっかけに、あとで話しかけてもらったり、何年もたって、本人さえ忘れた自己紹介を、他人が憶えていることもある。自分と初対面の人との、信頼関係のはじまりにくる言葉だからだろう。いわば「種」。どんな種を蒔くかで育つ関係も違ってくる。

そこで、自分らしさを伝えるポイントを3つ紹介しよう。まず、

前の人のマネをしない

飲み会などで車座になり、特に指定がなく「順に自己紹介を」と言われたら、たいてい最初の人は、名前のあと、何を言えばよいか困る。

「えっと、佐藤太郎と申します。えーっと、えっと……。次、何を言えばいいかなあ？　えーっと……。趣味は、絵を描くことです」

すると、次の人も、また次の人も、ついつられて、「趣味」で自己紹介する。最初の人が「出身地」を言ったら出身地を、「特技」を言ったらみんな特技を。特技がない人まで、「これといって特技はありません」と、それでも特技で語ろうとする。

でもそれは、自分が言いたいことだろうか？　趣味や特技で自分を語りたい人はそ

うすればいい。でも、これと言って趣味や特技がない人まであわせようとすると、こうなる。

「えっと、鈴木と言います。えーと、趣味はぁ……なんだろう、えっと、ええーと。うーん。まあ、映画鑑賞ですかね」

しかたなく言っているので、なげやりな印象だ。鈴木さんまでが、やる気のない印象に見え、損だ。趣味がないなら、あわせる必要はないのだ。

人に誇れる趣味や特技がある人も、ちょっと待ってほしい。趣味はあくまで趣味程度であって自分の人生の中心にくるほどのものではないのではないか？　特技は過去のもので、いまはもうやっていないものではないか？　もしそうだったら、自分の「メイン」を伝えないで「サブ」だけ話すことになる。夕食のメニューを聞かれ、せっかくのカレーライスを言わず、ラッキョウと言うようなものだ。自分を何で語るのがふさわしいか？

自分の主旋律を伝える

これが二つめのポイントだ。自分の人生の、自分という人間の、いちばん真ん中にくるものは何か？　二番目ではだめだ。それを「私は、このようなことをやってきて現在に至り、将来こんなことを目指しています」と語れればベストだが、カジュアルな場では長い。そこで、あれこれやってみて、私が今、一番いいんじゃないかと思っている手がある。これが三つ目のポイントだ。

自分の「意志」をはっきり言っておく

ほかはどうでも、ともかく**「今から未来に向けて自分は何をやりたいか？」だけは言っておく**という手だ。

初対面のとき、私の友人は、「小説が書きたい」という「意志」で自分を証明した。それに向けていま何をしているかを説明した。私は、友人の過去を総集編で見せてもらうより、資格とか趣味をくどくど説明されるより、ずっと速くはっきり、彼女という人間を認識できた。

「いまから未来、どうしたいか？」なら、自分が何者かまだつかめない人でも、人に誇れる経歴や特技がない人でも、自分という存在を端的に示せる。

自分の意志にまだ自信がないという人も、嘘やハッタリはよくないが、自分が本当に想っていることなら、どんどん言っていった方がよいのだと私は思う。

先日も、パーティーで自己紹介を頼まれた私は、「これから先、観る人の考える力を引き出す教育のテレビ番組をつくりたい！」と意志を見せた。自分の心が向かうことを話すのだから、やっぱり熱がこもる。それが通じたのか、あとから出席者の方々が口々に、「知り合いがこんな教育番組をつくっていますよ」と情報を提供してくださったり、声をかけてくださったりした。

初対面の人とのはじまりに、自分の意志を置いてみたら、そこを「種」につながる人も、寄せられる情報も、きっと、自分を引き上げてくれる。

今から未来に向けてどうしたいか、自分を「意志」で証明する。

過去の自分の集大成として意志は育まれ、自分と相手の関係は今はじまったばかり、そして未来につなげるものだから。

野口さんの例からも言えるように、信頼される自己証明の鍵は、今から未来にどうなりたいか、自分の「意志」だ。

4 短いやりとりで、なぜあの人は信頼されるのか?

はじめての人に自分をどう説明するかを見てきた。では、自分のことを一切説明してはいけないと言われたら、どうやって信頼してもらうか?

別にいじわるを言っているわけではない。そういうシーンはよくあるからだ。例えばインターネットでの意見交換は、お互い何者かよく知らない。また、忙しい仕事現場では、お互いの説明をする時間もなく、すぐ本題に入らなければならない。それでも短いやりとりだけで、「この人は信頼できる」とわかってしまうのはなぜだろう?

信頼されるって、自分の何を?

会って間がないのに、「この人は信頼できる」と思うとき、何を見ているのか?

初対面の人に「好かれる」ではなく、「信頼される」だから、ある程度の「能力」は問われているのだろう。だから、「私には、ある程度の知性はあるぞ、感覚や感情もちゃんと機能しているぞ、理解力や判断力、常識もそこそこあるぞ」と相手に伝える必要がある。でも、「あるぞあるぞ」と自ら説明するのもヘンだ。

そこで、実演して見せることになる。

相手と交わす会話、これが図らずも、自分の能力のプレゼンテーションだ。相手の言うことがちゃんと聞けていれば、理解力がある証拠だし、適切な返事ができれば判断力や表現力もある証拠だ。ユーモアがあると10回説明するより1回相手を笑わした方がはるかに伝わる。

逆に、相手との距離が近すぎると「なれなれしい」と思われ、相手を持ち上げすぎると「わざとらしい」、はずれた返答をすれば「この人、大丈夫だろうか」と思われる。

コミュニケーションには、自分の能力がごまかしようなく表れる。

知性・教養・情報処理能力・センス・ユーモア……あるにこしたことはないけれど、一気にコミュニケーションの技量をあげるなんて無理だ。信頼感を与えるコミュニケーションに欠かせない力とは何だろう？

短時間で深い信頼関係は築けるか？

全幅の信頼。

そういうものは、何年もかけて育てなくてはできないものだという持論があった。

それがここ数年で、あっさりと崩されてしまった。

生まれてはじめて本を書いたとき、担当の編集者さんとは、たった1回、数時間のミーティングで、もう信頼関係ができていた。はじめての書き手と編集者が一冊の本をつくるとなれば、その関係は大変だろうと想像していた。ところが、初めて会った日から本の完成まで、信頼は、一瞬も揺らぐことはなかった。誇張でなく、一瞬もだ。全幅の信頼を置いていることに自分でも驚いた。

先日、出演したラジオのアナウンサーさんにも、放送中、私は100%の信頼を置いていた。やはり、そのことに自分で驚いていた。この100%という感覚は、なかなか長い付き合いでも得られない。なぜ60%や80%でなく100%なのか。2回しか会ってないのだ。

築くのに時間がかかり、もろいと言われる信頼関係を、こんなにあっさり築いてしまえる人がいる。いったいなぜか？　この方たちは共通して、ある能力が訓練されていた。

一発で通じあう力とは？

ラジオの打ち合わせのとき、アナウンサーさんが、さっとストップウォッチを取り出し、時間を計るために、私が書いた原稿を声に出して読んでくださった。プロのアナウンサーに自分の書いたものを読んでいただくのは、生まれて初めてだった。

美しい声、美しい日本語で、それは、ほんとうに感動的な瞬間だった。

たった1回読んでいただいただけで、いろんなことがわかった。長さはどれくらいが適当か、自分の文章のどこがいらないか、どの言い回しが不自然か……。声に出して読んでみるといいと言われ、自分でもやってはいるが、これほどまでに、文章の完成イメージや自分の弱点に、一瞬にして気づかされたことはなかった。

アナウンサーさんは女性で、温かい人格がにじみ出た声だった。本番中、ファクシミリをくださったリスナーの方も、その声の素晴らしさにふれ、「声には、何かがごまかしようなく表れる」と書いておられた。

何かとは、「理解力」だと思った。

正確な理解のパンチカ

自分が理解していないものは、人に伝えられない。

ベテランのアナウンサーは、渡された原稿を、瞬時に、人に伝わるレベルまで理解する。素人では、他人の原稿をつかえずに読むだけでも難しい。さらに、つかえず読むことと伝えることは違う。しかも原稿は、ニュースなど急いで粗く書かれたものから、学者が書いた難解なもの、魂がこもった文芸、一般人の心温まる投稿と、多種多様だ。それらを瞬時に理解し、声で伝える。速く、正しく、深い理解力が求められる。

本の編集者さんも理解力に長けていた。ときどき私が、言葉にしたくてなかなか言葉にならないでいるようなことを、私以上に意を汲んで、適確な言葉でつかまえてくださった。その理解の深さには、心から満たされる想いがした。

他者の言葉に対する、この二人の深い理解力は、花形の職業だからとか、天性の能力によるものではない。地味でコツコツとした努力からきている。

例えば、アナウンサーさんには、事前に私が話す内容を、構成メモのような形でお渡ししていたが、本番当日、ちらっと見えた構成メモには、何色ものマーカーが塗られ、びっしり書き込みがされていた。どれだけ入念に読んでくださったか、ひと目で伝わってきた。

お二人とも、人が書いたものを読むという行為を、決しておろそかにしない。線を引いたり、繰り返し読んだり、ベテランになってもなお、コツコツと努力して人の言葉に向かう。いったい、どれだけの長い月日を通して、読むことを極め、書いた人間への理解を深めてこられたのだろう。お二人は、私が書いたものを読み、私という人間を理解していたから、まず向こうから私を信頼してくださっていたのだ。安心できるのも無理はない。

コミュニケーションには、お互いのお互いに対する理解度がどうしても表れてしまう。

私が相手を、買いかぶっていれば、相手は違和感を持つし、相手以下に、あなどっていれば、相手は傷つく。どちらにしても相手は、理解されていないと思い、同時に私を信頼することはない。

しかし、相手からのどの言葉も、正確な私への理解を根に繰り出されていたとしたらどうだろう？

その言葉は、余分な違和感なしにまっすぐ私を打つ。

自分のことは、自分がいちばんよくわかるからだ。そのいちばんわかるところに、正確な理解のパンチが繰り出されたら、たった一発で、相手を信頼することだってあり得ないだろうか？

一発で通じあう力、会話を成立させるために最も必要な力とは、「理解力」だ。

最低限、「理解力」があれば、コミュニケーションの入り口のところで、すっとんきょうな会話をしたり、相手に不信感を植え付けたりする心配がない。では、相手の言っていることをはずさず理解するには、具体的にコミュニケーションの際どうすればいいのか？

相手に不安を与えない会話のポイントは？

会話は、文章のように読み返しがきかず、相手とかけあってポンポン動いていく。相手に不安を与えないためには、最低限、何に注意してやりとりすればいいのだろう？

まず、こんな会話を見てほしい。㈱リメインツーリストの部長と社員の会話だ。

部長　「創業30周年記念感謝会の司会だが、論田くんはどうもねえ。まだ3年目というじゃないか」
社員A　「いやー論田くん、最近がんばってますよ、遅刻もしなくなったし」
部長　「少なくとも、もう少し社内のことに通じたものは、おらんのかな」

社員A「いや、彼は情報通っすよ。サッカーとか、アウトドアとか。英語ペラペラだし。」
部長「古いお客さんもみえるし、もう少し年季が入った司会の方が……」
社員A「あ、古いお客さんといえば、部長の追加された人！　招待状送っときました」
部長「ありがとう。あの、町田さんとか、新藤課長とか、あのへんはどうだろう」

たったこれだけのやりとりなのに、Aさんには、なんとなく浮わついた印象をもってしまう。「こんな人に感謝会のことを任せていいんだろうか？」と部長が思っても不思議はない。

原因は、「問い」を共有していないからだ。

部長は一貫して、「感謝会の司会をだれにするか？」という問いで話しかけている。しかしAさんは部長の問いを受けていない。感覚的に部長の言葉に反応し、「論田くんの勤務態度はどうか？」「論田くんがどんな情報通か？」「追加の招待客にどうしたか？」と、自分勝手な問いで話している。

問いが共有できないとは、問題意識が共有できないということ。日本人は、自分で問いを意識しないまま話すことが多い。それだけに、心が無意識に向かう関心、考えずにおれない切実な問題意識が問いに込められている。だから、それを受け止めてくれないと苛立ち、相手に不信感を持つのも無理はない。右のような仕事上の問いならなおさらだ。

まず、相手の「問い」を受ける

これが、信頼の会話術へのスタートラインだ。会話がねじれやすい人は、「相手の問いを鸚鵡《おうむ》返しにしてみる」という初歩的な技術で防げる。わかりやすくするために、理子さんに、ちょっとオーバーに、相手の問いを鸚鵡返しにしながら話してもらおう。

部長「感謝会の司会だが、論田くんはどうもねえ。まだ3年目というじゃないか」
理子「司会をだれにするか？ですね。論田くんではいけませんか？」
部長「少なくとも、もう少し社内のことに通じたものは、おらんのかな」
理子「社内に通じた司会の候補はいるか？　それはいると思いますが、なぜでしょう？」

部長「古いお客さんもみえるし、もう少し年季が入った司会の方がいいと思うんだ」

理子「あ、古いお客さんで思い出した！　お話の途中ですがすみません、忘れないうちに報告させてください。追加の招待状、送っておきました」

部長「ありがとう」

理子「すみません、話がそれてしまって。年季の入った司会の方がいいのでは？というお話の途中でしたね」

部長「うむ。町田さんとか、新藤課長とか、あのへんはどうだろう」

実際は、いちいち相手に問いを鸚鵡返しにしなくていいのだが、このようなつもりで相手のなげかけた問いはまず受ける。別の問いを挟みたいときは、このように相手にことわってから挟み、必ずもとに戻す。問いを変えたいときは、相手の問いをいったん鸚鵡返しにした後で、「司会をだれにするか？ですね。それもお話ししたいんですが、期日も迫っていますので、場所をどうするか？を先にさせていただけませんか？」と、相手の了承を得て変えれば問題はない。

会話につまるとき、多くは答えにつまるのだが、じっとだまってうつむいていると、相手は、答えにつまっているのか、自分の言ってることがわかっていないのか、判断しづらい。返答に困るときは、このように先に問いだけでも返しておくことで、「少なくとも私は、あなたと問題意識を正しく共有していますよ」と伝えることができ、相手は安心する。

実際には、理子さんは問いを受けているだけで、意見は決して部長と同調してはいない。それなのに、Aさんに比べ、よき部長の理解者という印象だ。他人と「意見」を共有するのは難しくても、「問い」なら共有でき、信頼感も増す。

一発で信頼を与える挨拶とは?

初対面の人と会うのは緊張するものだ。だが、相手から例えば、

「論田さんが企画された旅行パンフ、拝見しました。お仕事を通して、人と自然をもっと近づけたいという、論田さんの想いが伝わってきました」

と言われ、それが適確で、思わず、

「うわっ! それ、僕が仕事でいちばん大事にしていることなんです!」

と叫んだら、一発で互いの警戒心は解ける。

これは、「相手理解」を前面に押し出したコミュニケーションだ。

事前に、相手の言動や仕事を、正しく読みとって理解を深めておき、それをコミュニケーションの要所で、思い切って相手に伝えてみるのだ。「私は、あなたの仕事をこう理解した」「あなたという人物をこう理解した」と。これが、正しく深く、相手が言われてうれしい内容ならば、一発で通じ合える。

これは、相手をおだてて持ち上げて、いい気持ちにさせるのとは、似て非なるものだ。

おだてられていい気持ちになることと、相手を信頼することとは別ものだ。歯の浮くような褒め言葉を言われ、見え見えとわかっていてもうれしいということはあるが、それで、例えば、相手と一緒に仕事をしたいと思うかどうかは別だろう。

信頼に足る人物と思われるには、信頼に足るだけの能力・資質を示さねばならない。相手理解を前面に押し出す方法は、結果的に、自分の能力・感覚が信頼に足るものであることを相手に実感してもらっているのだ。

相手のことは相手自身がよくわかっている。何を大事にしてきたか？　何を目指して仕事をしているか？　それを相手自身のように適確に、いや、場合によっては相手以上に深く理解できたとしたら。相手は、あなたの洞察力、判断力を信じないわけにはいかないだろう。

だから、この方法は、本物の「理解力」がないとできない。信頼を得るには、やはり、小手先じゃあだめだ。自分自身を鍛えなければ。理解力を鍛える、いい方法があるから安心してほしい。

根本思想をつかむ

私がまだ会社に勤めていたある日。

上司とミーティングをして席に戻った私は、ちょっと不安になった。さっき上司に失礼な態度をとってしまったのだ。

「上司が気分を害していたらどうしよう……。」

それで上司に、「おせじ」というか、フォローのメールを書き始めた。「さっき上司が言われた、あの発言が心に触れ、さすが！と思いました。肝に銘じたいと思います」というふうに。次の瞬間、待てよ、と思った。

本当にこんなこと思っているのか？　上司のあの発言はほんとうに心に触れたのか？　私はあの発言を肝に銘じるのか？　ほんとうに？

心にもないことをなぜ書こうとしたかと言えば、上司に嫌われるのが恐い。それで企画が通りにくくなったりするのが恐い。だから、自己保身のためだけにものを書こうとしていたのだ。

これって、恐れを行動動機とすることだ。

書きかけたメールを全部消して思った。「文章教育を仕事としている私は、こういうものを書いてはいけない」ほんの小さな「恐れ」でも、それを心根に抱けば、そこから繰り出されるすべての発言は、「恐れ」にとらわれたものになる。このとき心に誓った。

恐れを動機として、決してものを書くまい。

吹けば飛ぶような日常のひとコマで観た、自分の小心と勇気。でも、これに気づくまで、表現に動機があると知ることからはじまって、それをつかむ読解訓練を、仕事でコツコツ積み上げて10年たっていた。

このように、発言の根っこには、その人を発言に向かわせている動機・想いがある。これを「根本思想」という。根本思想は言葉の製造元だ。だから、根本思想に着目すれば、相手の発言のあっちをつまみ、こっちにこだわり、とするよりも、ずっと適確に相手を理解できる。

根本思想をつかむ力を鍛えるには、日々の中で、相手の言わんとすることを、極力短く、自分の言葉で言ってみるトレーニングが効く。そう、**「要約」**だ。相手の発言のどこを押さえるか？　それは、本書で見てきたとおり。

1. 意見＝相手がもっとも言いたいことは？
2. 論拠＝その理由は？
3. 問い＝どういう問いに基づいて話しているか？

会話の要所で、この3つを押さえ、脈絡をつけて自分の言葉でまとめ、相手に返してみよう。

「司会をだれにするかについて、要するに部長は、論田さんではだめだ。社歴が若すぎるからだ、と思っていらっしゃるのですね」（問い→意見→理由）

と。相手に返してみて、「そうそうそう」と頷かれるようなら、理解力の基本はできている。だが、これでは長い。もっと「短く」だ。

右の要約は、このままの発想で縮めても、「司会は社歴が若いから論田ではだめ」くらい。かといって、「論田はダメ」のように自分勝手に縮めてはいけない。別に部長は論田くんの人間性を否定しているのではない。短くするといってもこれは、「他人の意見」。あくまでも相手が言いたいことを「短く」だ。これ以上縮めるためには、先ほどの私の「恐れ」のように、言葉の製造元である根本思想に着目せざるを得なくなる。

それに、実社会では、鑑賞のために人の言葉を読んだり聞いたりするのではない。「上司の方針説明書を読んで、企画書を書く」「会議で相手の発言を聞いてから、意見を返す」というように、自分がアクションを起こすためだ。だから、長いまま自分のメモリに入れてしまうと、「部長の、司会は社歴が若いから論田ではだめ、という意見に対して自分はどう考えるか?」「部長の、司会は社歴が若いから論田ではだめ、という意見に応えるためには、このあと自分は何をしたらよいか?」とやらねばならず、重い。そこで、

部長のさまざまな発言に、通底している「想い」はなにか?

なぜ部長は、「司会は社歴が若いから論田ではだめ」と言ったのだろうか?　若い

司会がきらいだと自分の好みを言いたかっただけか？　わざわざそれだけのために忙しい仕事の時間を割き、部下の人選に反対したのだろうか？　たったそれだけのことを言いたいために？　部長職にある人が？　部長は、本当は何が言いたかったのだろう？

部長のこれまでの発言を振り返ってみる。

例えば、出し物に最新のクイズ番組のパロディを提案したところ、部長は「チャラチャラした演出はいらん」と却下した。「創業30周年記念感謝会」と書いた看板を、最初のカラフルなものから、質素な毛筆にかえさせた。招待客として部長が追加したのは、思えば創業当時の取引先ばかりだ。感謝会の話が浮上して以来、部長は創業当時の話をすることが多くなった……。部長は、いまの旅は、リゾート、レジャーパックなど、娯楽を求める「旅行」の要素が強くなったと言う。創業のころは、海外にいくのも高価で大変で、自分の見聞を広めるとか、自分の内面を探求する目的の、「旅」の要素が強かったという。そうした「旅」する人を支援したいというのが、会社立ち上げの目的だった、と部長は言う。

そうした部長の言動の数々から、根っこにある想いを推し測ってみる。

部長は、創業のころを大事に想っているのはまちがいない、いまどきどこにでもあるパーティでなく、創業のころを大切に考えた会にしたいのだな。だんだんと部長の根本にある想いが見えてきたら、ここでぐっと踏み込んで、極力短く、自分の言葉でつかんでみよう。部長という1人の人間に出会うつもりで、勇気をもって。

「部長はこの会で、〝創業の精神〟を伝えたいと想っていらっしゃるのではないですか？」

部長の顔が「おお、それそれ！ 私が言いたかったのは、まさにそれだよ」と輝いたらOKだ。自分のメモリに「創業の精神」を入れよう。たった五文字。考えるときも「創業の精神にふさわしい司会者とは？」「創業の精神を感じさせる演出とは？」というふうに軽やかだ。

短くつかむことは、深く理解することだ。

集中してトレーニングするなら1万字くらいの文章を、15分くらいで読み、筆者の根本思想だけをとらえて、それをできるだけ短く、自分の言葉に言い直して要約するのもいい。

5 信頼の危機にどう対処するか?

以前、後輩からもらったeメールのタイトルに、「単なる自慢です。」とあってウケた。

メールには、後輩が、飲み屋さんで偶然、写真家のヒロミックスさんに会えたことが、うれしそうに書かれていた。確かに自慢だ。だが、とても素直に読めた。

本人が自覚しないまま、とうとうと自慢話を聞かされるのはつらいものだが、自覚した上で、さらりとやってのけられると爽快だ。

私は、自分のメールに自分で「自慢」と書いた後輩のセンスに感心した。後輩は、たぶん、「自分が書いているこのメールは、相手からはどう見えるだろうか?」と考えたのだろう。そこで、「どんな言い方をしようとこれは、相手から見たら自慢だ」、と気づいて、大胆にもそれをタイトルに持って来たのだ。

信頼の危機の突破口は?

漫才で、ネタがすべって場内をシーンとさせてしまった芸人が、「あかん、みんな引いてる！」と言うとドッとわく、あれと同じだ。相手から見た自分を知って、本当のことを言えば、それが「自慢」だって、「客を引かした」だって通じ合える。それがだれが見ても「本当のこと」だからだ。

同様に、何か失敗をして、あなたの信頼性がぐらついているときも、まわりから見たら自分がどう見えるか知って、本当のことを言えば通じ合う余地が生まれる。自分の非をも積極的に認めることで、逆に、あなたの客観認識が正しいこと、自分のことがよく見えていることが周囲に伝わる。結果的に、まわりは、「あら、この人、自分でよくわかってるじゃないの」とあなたへの信頼感を高めるのだ。

信頼の危機の突破口は、相手から見た自分のメディア力を知って、それにふさわしい言動を心がけることだ。例えばこんなケースだ。

噂にどう対処するか？

根も葉もない噂をたてられてしまったら、どうしたらいいのだろう？　テレビで噂の渦中にいるタレントがコメントしているのを見ても、噂への対処がうまい人と、下手な人がいる。下手な人は、何を言っても、どう言ってもうさんくさい。釈明すればするほど、周囲の疑惑はつのる。「この人、ほんとはやってんじゃないの?」と。そういう空気を察して、渦中のタレントは、自分がいかに正しいかを熱弁したり、オーバーな釈明パフォーマンスをしたり、わかってくれないレポーターに感情をむき出したり……。すればするほど、周囲の不信感はつのる。一視聴者である私には、ことの真偽を判断するすべもないが、少なくとも、「この人、むしろ、だまっていたほうがいいんじゃないのか?」と思うケースがある。

噂の対処法には、二通りある。ひとつは、悪い噂を立てられたら、直ちに、全身全霊をこめて、身の潔白を証明せよ、というもの。もう一つは、人の噂も七十五日、その間、だまってじっと耐えよ、というもの。噂の性質にもよるが、真反対のこの二つを、どう考えればいいんだろうか?

私自身、まったく根も葉もない噂をたてられてしまったことがある。そのとき、まず次のような「問い」を立て、自分に聞いてみた。

いったい私は、今みんなが言ってるようなことをしたのか?

と。そしたら爽快だった。「してない!」ときっぱり正解が出たからだ。いつもは、生きていく上で、絶対的な正解などない。何が正しいか? 何が真実か? わからないから苦労するのだ。ところが、噂をたてられてしまったときだけは、真実は自分の中にある。

「だれが何と言おうと、１００％の正しさで、私はそんなことをしていないんだ。よかった！　一番身近な存在である自分は自分を信じられる。それに、真実は私だけが握っている。」

そう思ったら、不思議に心が落ち着いた。真実に照らしてみると、人間には三通りいる。

「噂」だけで判断する人

噂だけでは信じず、信頼できる「情報」筋を調べてから判断する人

現場、現物、本人に聞くなど「事実」を確かめてから判断する人

私のケースでは、ちゃんと情報を調べようとした人が１人いたのみで、あとは、みんな根も葉もない噂を信じてしまった。不思議なことに、噂の渦中にいる間、だれひとり、ことの真実を私に聞こうとする人はいなかった。私に聞かず、まわりの人に聞く。まわりは真実を知らないから憶測でものを言い、よけいややこしくなる。

なぜ、みんな本人である私に確認しようとしなかったのか？

それは、悪い噂を立てられているとき、私という人間そのものが疑われているから

だ。つまり、私のメディア力は下がっている。みんな、「疑わしい人物の言うことは、疑わしい」と思うから、私から真実が聞けるとは考えなかったのだ。

メディア力が下がってしまったとき、積極的な発言をしたり、派手なパフォーマンスをすることは、故障して音の飛ぶスピーカーで、声を張り上げているように、ひどく効率が悪い作業だ。叫んでも、自分のメッセージは伝わらないばかりか、誤解されて、悪い意味に取られてしまう。私が噂にさらされたときも、周囲の反応は冷たかった。

そういうときは、少し辛抱する。人の噂も七十五日というから、そのくらいまで。その間は、つらくても、時間や約束事を守り、周囲に誠実な態度で接し、できるだけ自然に過ごす。そうやって、時に語らせ、事実に語らせ、何かよい成果のひとつもあげて、自分のメディア力の回復を待ってから発信する。直った快調なスピーカーで、一気にメッセージを届けるようなもので、効率がいい。私も、メディア力の回復を待ってから、「あの時は、ああだったのよ」と周囲に言ったら、素直に信じてくれた。

では、噂を立てられたら、間髪入れず、全身全霊で釈明をした方がいいという考えは、どうなのだろうか？

実はこの二つ、メディア力に着目したら同じことだ。直ちにというのは、自分のメディア力が完全にやられてしまわないうちに速く、という意味だし、七十五日というのは、メディア力の回復を待て、ということだ。いずれも、自分のメディア力が下がりきったら動けないぞと警告している。

自ら釈明しなければならないとき、コツは三つある。まず、まわりから信頼されている人の援助を頼む。口添えをしてもらったり、まわりの人との橋渡しをしてもらうといい。何を言うよりだれが言うか。周囲から信頼されている人の発言なら、まわりも信じるからだ。つまり、自分のスピーカーが壊れているなら、快調なスピーカーを持っている人から語ってもらおうということだ。

二つめは、身の潔白を証明する「根拠」を用意する。そう、ここでも「意見となぜ」で伝えるのだ。根拠のないのが噂だから、確固とした証拠がものを言う。

三つめは、噂に含まれている自分の非とか、これまでの自分の非の中で、本当のことがあれば、積極的に、正直に認めるということだ。悪い噂で自分のメディア力が下がりきってしまうと、まわりの人は、「こいつの話はうそばかり」と話もろくに聞いてくれない。そういうときはつい、「自分はこんなにいい人間です」「自分はこんなにちゃんとやっていました」と、自己弁護ばかりしたくなるが、それがかえって、周囲にはうさんくさく見える。

例えば、日ごろうそばっかり言っている政治家が、釈明のためにテレビに出ても、みんなまともに聞かない。画面にろくに目をやらず、ほかのことをはじめたり、チャンネルを変えようとする。あれは「私は、うそは言っておりません！」と言うからだ。

逆に、

「みなさん、私は、みなさんにうそを言いました！」

と言ったとしたら、みんなはっとして画面を観るだろう。ご飯を食べている人も手を止めて、以降の発言をじっと聞こうとするだろう。

漫才の「あかん、すべった！　客引いてる」と同じ原理で、自分に都合の悪い事実も積極的に認め、それがだれの目から見ても本当である場合、逆にメディア力は回復するのだ。みんなが「なんだこの人、けっこうまともなこと言うじゃないの」と信頼感を強めたら、その後、「しかし、この点については」と切り出せば、あとの言葉はずっと素直に人の心に届く。

いずれにしても、根も葉もない噂では、真実は自分の中にある。落ち着いて、小手先でない、あなた自身の信頼性の回復を目指そう。

誤解をどう解くか？

誤解されてしまったときも同じ、相手から見て、あなたのメディア力は下がっている。誤解が問題になるのは、あなたの発言が「悪く」とられてしまったときだ。相手は、そんなことを言うあなたの人間性そのものを疑っている。だから、

「私がカラスを白いと言ったですって？　ひどい誤解です！　私、そんなこと言ってません。第一、思ってもいません！」

とムキになって説明しても、なかなか信じてもらえない。相手は、「さあ、どうだか。後からはなんとでも言えるわ」とばかり、まだ疑いの目でこちらを睨んでいる。そこで、

「なんであなたはそんなふうに誤解するんですか！　誤解するほうがおかしい！　私がカラスを白いと言ったなら、その証拠を見せてください！」

などとやると、今度は、相手を間違っていると決めつけ、責める形になってしまい、ますますメディア力を下げてしまう。ののしりあいになるか、相手が釈然としないまま、「誤解して悪うございました」と形だけの謝罪をするか、いずれにしても、相手から見て、あなたへの信頼性がすっきりと回復するとは思えない。

そんなときは、次の3つの問いで関係を整理してみよう。

1．そもそも誤解のもとになっている「問い」は何か？（↓カラスの色は何色か？）
2．それついて結局、相手はどうだと思っているのか？（↓黒だ）
3．自分は結局どう思っているのか？（↓黒だ）

これさえ押さえれば後は簡単。相手の結論を適確に要約して頭にもってきて、あとは、「私もそう思う」と伝えるといい。つまり、

「カラスって黒いですよね。私もそう思います。」

だって、もともと「誤解」なのだ。相手への批判も、自分の釈明も、言った言わないの小競り合いも、ことをややこしくするだけだからカットしてよい。ストレートに「カラスは黒い」で通じ合おう！　足りなければ、「カラスが黒い」ということを、実感をこめて相手に伝えてみよう。

例えば、あなたの発言を誤解して、「あんた、うちの子をバカにしたわね！」と隣りの奥さんが怒り出したようなとき、あわてて「バカにした」「してない」「言った」

「言わない」でもめるより、まず落ち着いて、心をこめて「おたくのお子さんは、うちのおばあちゃんにも、本当に優しくしてくれる。近所の人にもきちんと挨拶できる。賢くてしっかりしたお子さんだと、私は、いつも感心しています」とストレートに伝えるほうが話はよっぽど通じる。あなたの理解力の正しさ深さで、相手はあなたに対する信頼を取り戻すだろう。

コミュニケーションの入り口で、すみやかに信頼をつかむには、「意志」で自分を証明する、「相手理解」に努める、相手から観た自分の「メディア力」を量りながら発言する、の3つが有効だ。信頼の門をくぐって、はじめて、あなたは、もっと大胆に、もっと想いに忠実に、意見が言えるようになるだろう。

エピローグ　通じ合う歓び

「通じない」にも様々なレベルがある。これを読んでいる人の中に、日常の細々したことでなく、「仕事面から人間関係まで、自分の想いがうまく外に通じない……」そんな人生の「壁」にぶちあたっている人はいないだろうか？

もし、そういう人がいたら、きれいごとでなく、希望はすぐそこまできている。

壁にぶちあたったとき、希望も近づいている

私が、壁にぶちあたったのは、会社に入って10年たったころ。自分でも納得いく仕事ができるようになっていた。内輪では評価されるのに、今ひとつ外に広がっていかない。「自分でやれることはすべてやった。なのに、どうして伝わらないんだろう！」

今から思えば、そのときの私は、本当の意味で「外」を知らなかった。「自分」という城壁をぐるりとはりめぐらせ、その中で考えた「理想」に向け、その中で考えた「最善」を尽くしているに過ぎなかった。外と交流しているようでいて、実は、自分

の枠の中で「わかる」「よい」ものだけを取り込み、自分の枠の中の言葉で通じる人とだけ交わっていた。

今壁にぶちあたっている人、「壁が見えた」ということは、自分の枠組みの限界に来た、外へ出ようとしている証拠だ。それだけ、伝えたいものが自分の中に芽生えた証拠だし、自分という枠組みそのものが、もっと広がろうとしている証拠だ。

そして、「今まで難なくやってきたのに、外とうまく通じあえない」と苦しみ始めたとき、あなたはすでに壁の外を歩いている。つまり、今までの自分の枠組みが通じない、新しい領域に足を踏み入れ、今までの自分の枠組みが通じない人の声を本気で聞こうとしている。

だから、外と自分の意思疎通がうまくいかず、自分がぐらぐらするのも当たり前だ。

皆簡単に、外の世界を見ようと言う。でも、外を見るとは、自分の枠から外に出ることだ。自分の枠内で秩序を持っていた世界が、崩されていく。「自分の外」を見ることは、本当に苦しい。私も、自分の仕事は外から観ると何なのか？　顧客や、上司や、データや、外の声に本気で耳を傾け始めたとき、「自分」が、ぐらぐら解体するのを感じた。自分の枠の中では、理想に近づいた教材も、相手の世界の都合では、ほんの片隅に位置するものであったり、いまいちピンとこないものだったり。外の世界は、自分の都合や価値観とはまったく無縁に生き動いている。私は、外に、ただただ無防備に自分をさらし、そして打たれた。

それでも、崩れ落ちる自尊心をまっすぐ歩いていき、小さな自分の枠組みが解体しきったとき、見えてきたのは、なんと、「自分」だった。「自分」は増えも減りもせず、今までどおりそこにいた。でも、外側から見たら、なんてちっちゃいんだろう。そして、とっても懐かしく想った。

その秋、開発した教材は、そのちっちゃい自分に素直に立脚したものだった。新しいものなど何もない。小さな自分が10年間に見てきた、人がものを考え、表現することの素晴らしさ、そのために自分が本当に必要だと想うことだけを、肩の力を抜いて淡々と伝えた。

でも、たった一つ変わったところ、それは、すべての言葉、すべての表現が、自分を外側から観たものに置き換わっていたことだ。

その教材は、ほとんど説明なしに、一発で内外に通じた。そんな経験はそれまでなかった。

想いが通じるときは、距離も立場も超え、広く、速く、あっという間だ。その瞬間、苛立ちも焦燥も消え去り、通じ合えない苦しみは、このためにあったとさえ思えてくる。

通じるものには根拠がある

そんな限界突破のようなことを、これまでの人生で二度ほどし、通じ合えた体験から見えてきたことがある。「通じた！」と開眼したものには根拠があるということだ。

それはこの3つだ。

1．伝えたいものがある（切実な動機）。
2．伝えるだけのものがある（10年以上の経験に象徴される）。
3．伝える技術がある（表現技術）。

まず、自分が伝えようとすることは、動機がはっきりしたことだろうか。「単に面白そうだから」では通じない。どうしても伝えたい、切実な動機はあるか？

次に、自分が伝えようとすることは、自分以外の人にとって、コストを払ってでも欲しいような価値のあることだろうか？　だれでも、ある分野で10年以上、経験や技を積み上げれば、何か人に対して言える価値、人が聞く価値のあるものが出てくる。

そして「伝える技術」があるかどうか。伝えたい価値があっても、表現技術に問題があっては、内容まで歪んでしまう。それを言葉にできるか？ なにか形に表現しきれるか？ 文章に限らず、音でも、映像でも、ダンスでも、自分の表現方法を選んで、自分の思う表現ができるようになるまでには、やはり時間と練習がいる。

少なくとも、この3つの根拠がそろうまで、ものごとは突き抜けていかない。私も、うまくいかなかったものは、見事にどれかを落としている。逆にうまくいったことは、背景に10年以上の積み上げがあって、それとつなげられるものばかりだ。通じるものには理由がある。

会社に入って3年目くらいまでとてもつらかったが、考えたら、2年や3年で、自分の想いが通じないのは当然だ。5年や6年でわかってもらえなくても、自分がいる分野がそれだけ奥が深い証拠。10年に匹敵するものが積み上がるまでは、自分はペーペーなわけだから、世の中をうらんだり、自分を嫌いになったりせず、明るい努力を積んでいけばいいのだと想う。その先に、どんな通じ合う歓びが待っているか、ほんとうに楽しみだ。

さて、お別れが近づいた。ここまで読んでくれてありがとう。

あなたの中にある想い、私はそれが知りたい。それは、だれがなんと言おうと、他の人にはない、かけがえのないものだ。時間がかかっても、あなたはそれを育て、表現方法を磨き、いつか、広く深く、人々に通じさせていくと信じている。あなたには、自分を偽らず、自分の想いで人と通じ合う力がある。今から未来にどうしたいか、しっかりと意志を抱き、自分の想いで関われる世界を切り開いていってほしい。

自由を勝ち取るための戦いの記録――文庫版のためのあとがき

ある読者が、本書のことを「自由を勝ち取るための戦いの記録」と言った。

ほんとうにそうだと私は思う。

本を出さないかと、編集者の鶴見智佳子さんに話をもちかけられたとき、私はまだ一冊も本を出していない、肩書きすらない、無名の存在だった。他社から新書のオファーをもらい、執筆に漕ぎ出してはいたものの、世間的に見て、まだメディア力ゼロの人間に、そうそう簡単に本を書かせるほど、世の中は甘くない。

そこから企画が通るまでに、1年以上待たなければならなかった。

だから、単行本『あなたの話はなぜ「通じない」のか』の企画を出版社に通すことも、本を書くことも、書いた本を世の中の人に読んでもらうことも、メディア力ゼロの私が、いかに人や世の中に想いを通じさせていくかという、自由への挑戦だった。

この本の企画を通すために、見本原稿をあげるにしても、構成案をあげるにしても、各段階で失敗は許されない。メディア力に頼れない以上、一回のミスで先はない。どうしたら、一発で、相手の心に届くものが書けるか、私は緊張の連続の中にいた。自分のやってきた「考える力」の教育は、きっと多くの人が必要としている、という確信があった。しかし、無名の私を世の中の人はいぶかしがり、おもうように話を聞いてもらえない。

独立するにあたって覚悟はしていたものの、あまりに過酷な状況に、辛抱しても辛抱しても、もうだめだというところに追い詰められたことがある。ちょうどそのとき、田舎から母が来ており、期限を決めて、そこまでにもし、成果があがらなかったら、自分の想う教育の仕事への道から撤退すると宣言していた。いよいよその期限が近づいて、自分も最後かとおもったとき、青山のブックセンターに立ち寄った。「文章」に関するムックが出版されており、どうやらそこには、いまの文章表現界を代表する人々が載っているようだった。みじめだった。自分は、小論文からはじまって、ずっとずっと文章表現の教育に携わってきた。そこにだれよりも情熱がある。しかし、自分の名前はここにない。その場を逃げて立ち去ろうとおもったけれど、こういう現実こそ見つめなければいけない。私は傷に塩をもみこむつもりでそのムックを買った。

帰りの電車でムックをめくっていったら、「日本語文章がわかる」という本が50冊選定されていた。冒頭に厳しい選定基準が載っていた。そして、谷崎潤一郎からはじまって14番目の本として、無名の新人にもかかわらず、私が生まれて初めて書いた本『伝わる・揺さぶる！文章を書く』（PHP新書）が載っていた。信じられないと涙が出た。無名の人間でも、想いは伝わるんだとおもった。やめてはいけないと、言われているような想いがした。

そして家にかえり、本書の企画が通ったと知らせを受けた。

それから執筆をするにも、できた本を伝えるにも、苦悩したが、そのたびに、私自身が、本書にある「共感の方法」や、「メディア力を高める伝え方」を参考にした。この方法で、必ず、自分と人は通じ合えると信じていた。

『あなたの話はなぜ「通じない」のか』というタイトルは、編集者の鶴見智佳子さんが、執筆で沈没しそうになっている私に、浮き輪のように投げてくださったタイトルで、この言葉がなかったら、私は本を書き上げられなかったとおもう。

出版されるやいなや、続々と重版がかかり、うそではないかと何度も疑った。

本書は、私の環境を一変させた。何十社もの出版社の編集者が、手に手に本書を携えて私のもとを訪れた。私が何よりうれしかったのが、私に注がれる理解だった。こちらから「私はこういうものです」と苦心して説明しなくても、本書を読んだ人が、一発で私を信頼し、降るほどの理解をよせてくれた。

一発で通じ合える、これが自由だと思った。

本書を書いたとき、まだ夢にすぎなかった教育のテレビに携わることも、本書がきっかけで見事に実現した。テレビの企画書を書くときも、私は、本書の方法にそって書いた。

本書のコミュニケーション術は、通じ合う歓びへと私を導いてくれた。

本書を、あなたがより自由を手にするための、踏み台として届けたい。

あなたの想いは通じる！

山田ズーニー

本書は、二〇〇三年一〇月、小社より刊行された。

逃走論　浅田彰

パラノ人間からスキゾ人間へ、住む文明から逃げる文明への大転換の中で、軽やかに〈知〉と戯れるためのマニュアル。

増補 現代思想のキイ・ワード　今村仁司

80年代のニューアカ、ポストモダン・ブームとは何だったのか？ 世界を席巻した現代思想のキイ・ワードが、20年の歳月を経た今、増補版で蘇る。

ザ・フェミニズム　上野千鶴子　小倉千加子

当代きってのフェミニスト二人が、さまざまなトピックを徹底的に話しあった。今、あなたのフェミニズム観は根本的にくつがえる。（遙洋子）

大人は愉しい　内田樹　鈴木晶

大学教授がメル友に。他者、映画、教育、家族――批判だけが議論じゃない。「中とって」大人の余裕で生産的に。深くて愉しい交換日記。

セックス神話解体新書　小倉千加子

これでどうだ！ 小気味いいほど鮮やかに打ち砕かれていく性の神話の数々。これ一冊であなたのフェミニズムに対する疑問は氷解する。（柏木恵子）

多重化するリアル　香山リカ

解離は病理なのか、それとも現実への適応か。テロや格差で不安定化する社会を背景に、希薄な現実感や当事者意識に戸惑う現代人の心理現象を読みとく。

敗戦後論　加藤典洋

「戦後」とは何か？ 敗戦国が背負わなければならなかった「ねじれ」を、われわれはどうもちこたえるのか？ ラディカルな議論が文庫で蘇る。（内田樹）

戦闘美少女の精神分析　斎藤環

ナウシカ、セーラームーン、綾波レイ……「戦う美少女」たちは、日本文化の何を象徴するのか。「おたく」「萌え」の心理的特性に迫る。（東浩紀）

「自分」を生きるための思想入門　竹田青嗣

なぜ「私」は生きづらいのか。「他人」や「社会」をどう考えたらいいのか。誰もがぶつかる問題を平易な言葉で哲学し、よく生きるための〝技術〟を説く。

哲学者とは何か　中島義道

この国に哲学研究者はゴマンといるが、「哲学者」はほとんどいない。「哲学する」ということを根源から問い直した評論集。（松原隆一郎）

批評の事情 永江朗
いまの批評家を批評する（批評の2乗）、面白くてためになる本。宮台真司、大塚英志、東浩紀、斎藤美奈子ら44人を捉える手さばきも見事。

東大で上野千鶴子にケンカを学ぶ 遙洋子
そのケンカ道の見事さに目を見張り「私も学問がしたい！」という熱い思いを読者に湧き上がらせた、涙と笑いのベストセラー。（斎藤美奈子）

世界がわかる宗教社会学入門 橋爪大三郎
宗教なんてうさんくさい!? でも宗教は文化や価値観の骨格であり、それゆえ紛争のタネにもなる。世界宗教のエッセンスがわかる充実の入門書。

変態（クィア）入門 伏見憲明
レズビアン・ゲイ・性同一性障害・半陰陽・女装家……性の境界を揺るがす人々とゲイライター伏見が徹底対談。世界の見方が変わる！（中村うさぎ）

反社会学講座 パオロ・マッツァリーノ
恣意的なデータを使用し、権威的な発想で人に説教する困った学問「社会学」の暴走をエンターテイメントな議論で撃つ！ 真の啓蒙は笑いから。

増補 サブカルチャー神話解体 宮台真司／石原英樹／大塚明子
少女カルチャーや音楽、マンガ、AVなど各種メディアの歴史を辿り、若者の変化を浮き彫りにした前人未到のサブカル分析。（上野千鶴子）

挑発する知 姜《カン》尚《サン》中《ジュン》 宮台真司
愛国心とは何か、国家とは何か、知識人の役割とは何か。アクチュアリティの高い問題を、日本を代表する論客が縦横に論じる。新たな対談も収録。

自分と向き合う「知」の方法 森岡正博
世の中、自分を棚に上げた物言いばかり。そうではない知の可能性を探り、男女問題、宗教、生命等を透徹した視点で綴るエッセイ。（鷲田清一）

脳と魂 養老孟司 玄侑宗久
解剖学者と禅僧。異色の知による変幻自在な対話。二人の共振から、現代人の病理が浮き彫りになり、希望の輪郭が見えてくる。（茂木健一郎）

ちぐはぐな身体《からだ》 鷲田清一
ファッションは、だらしなく着くずすことから始まる。中高生の制服の着崩し、コムデギャルソン、刺青等から身体論を語る。（永江朗）

熊を殺すと雨が降る　遠藤ケイ

山で生きるには、自然についての知識を磨き、己れの技量を謙虚に見極めねばならない。山村に暮らす人びとの生業、猟法、川漁を克明に描く。

解剖学教室へようこそ　養老孟司

解剖すると何が「わかる」のか。動かぬ肉体という具体から、どこまで思考が拡がるのか。養老ヒト学の原点を示す記念碑的一冊。（南直哉）

増補新版 教育とはなんだ　重松清編著

学級崩壊、いじめ、引きこもり、学力低下。子供の姿を描き続ける作家が、激動する教育状況を現場のプロに聞く。教育を考えるヒントがいっぱい。

宗教なんかこわくない！　橋本治

人は何故、宗教にはまるのか？　日々の不満や不安に打ち勝ち、日本人が本当の「近代」を獲得するためには⁉　新潮学芸賞受賞。

二十世紀（上）　橋本治

戦争とは？　革命とは？　民族・宗教とは？　私たちにとって二十世紀とは何だったのかを、一年ごとの動きを追いながら、わかりやすく講義する。

二十世紀（下）　橋本治

私たちの今・現在を知る手がかりがいっぱい詰まった画期的な二十世紀論。身近な生活から、大きな歴史の動きまでをダイナミックに見通す。

コミュニケーション不全症候群　中島梓

「私の居場所はどこにあるの？」――オタク、ダイエット、少女たちの少年愛趣味、そしてオウム……。すべては一本の糸でつながっている。（大塚英志）

終わりなき日常を生きろ　宮台真司

「終わらない日常」と「さまよえる良心」――オウム事件直後出版の本書は、著者のその後の発言の根幹である。書き下ろしの長いあとがきを付す。

生き地獄天国　雨宮処凛

現在不安定雇用者問題のルポで脚光をあびる著者自伝。自殺未遂、新右翼団体、愛国パンクバンド時代。現在までの書き下ろしを追加。（鈴木邦男）

希望格差社会　山田昌弘

職業・家庭・教育の全てが二極化し、「努力は報われない」と感じた人々から希望が消えるリスク社会日本。「格差社会」論はここから始まった！

シリコンバレー精神　梅田望夫

未来創造には何が必要か？　日本企業に足りないものは？　ネット革命の現場で、リナックス、グーグル誕生を目撃した、『ウェブ進化論』著者の原点。

質問力　齋藤孝

コミュニケーション上達の秘訣は質問力にあり！　これさえ磨けば、初対面の人からも深い話が引き出せる。話題の本の、待望の文庫化。（斎藤兆史）

段取り力　齋藤孝

仕事でも勉強でも、うまくいかない時は「段取りが悪かったのではないか」と思えば道が開かれる。段取り名人となるコツを伝授する！（池上彰）

コメント力　齋藤孝

オリジナリティのあるコメントを言えるかどうかで「おもしろい人」「できる人」、という評価が決まる。優れたコメントに学べ！

不良のための読書術　永江朗

洪水のように本が溢れ返る時代に「マジメなよいこ」では面白い本にめぐり会えない。本の成立、流通にまで遡り伝授する、不良のための読書術。

思考の整理学　外山滋比古

アイディアを軽やかに離陸させ、思考をのびのびと飛行させる方法を、広い視野とシャープな論理で知られる著者が、明快に提示する。

「読み」の整理学　外山滋比古

読み方には、既知を読むアルファ（おかゆ）読みと、未知を読むベータ（スルメ）読みがある。リーディングの新しい地平を開く目からウロコの一冊。

人生の教科書［人間関係］　藤原和博

人間関係で一番大切なことは、相手に「！」を感じてもらうことだ。そのための、すぐに使えるヒントが詰まった1冊。（茂木健一郎）

ヤクザに学べ！　男の出世学　山平重樹

シノギ、縄張り、対立・抗争……。ときに体を張る男たちのずばぬけた実践力、行動力はいかにして鍛えられるのか？　そのすべてを伝える。

あなたの話はなぜ「通じない」のか　山田ズーニー

進研ゼミの小論文メソッドを開発し、考える力、書く力の育成に尽力してきた著者が「話が通じるための技術」を基礎のキソから懇切丁寧に伝授！

ちくま文庫

あなたの話《はなし》はなぜ「通《つう》じない」のか

二〇〇六年十二月十日　第一刷発行
二〇〇八年十一月十日　第五刷発行

著　者　山田ズーニー（やまだ・ずーにー）
発行者　菊池明郎
発行所　株式会社　筑摩書房
東京都台東区蔵前二—五—三　〒一一一—八七五五
振替〇〇一六〇—八—四一二三
装幀者　安野光雅
印刷所　中央精版印刷株式会社
製本所　中央精版印刷株式会社
乱丁・落丁本の場合は、左記宛に御送付下さい。
送料小社負担でお取り替えいたします。
ご注文・お問い合わせも左記へお願いします。
筑摩書房サービスセンター
埼玉県さいたま市北区櫛引町二—六〇四　〒三三一—八五〇七
電話番号　〇四八—六五一—〇〇五三

ISBN4-480-42280-3 C0195